AQUI TENS A TUA ILHA,
RECORTA-A E DIVERTE-TE!

SLIME

Também escritos por

David Walliams

Avozinha gângster
Doutora Tiradentes
A terrível tia Alberta
O rapaz milionário
Rato picado
A incrível fuga do meu avô
Sr. Pivete
Campeão de saias
O Bando da Meia-Noite
Pai Sarilho
Koiza
O monstro que veio do gelo
A fera do Palácio

As Piores Crianças do Mundo
As Piores Crianças do Mundo 2
As Piores Crianças do Mundo 3
Os Piores Profs. do Mundo

e ainda:

Oh, não! Adotei um elefante!
Está uma cobra na minha escola!
O mundo de David Walliams: cenas e coisas

David Walliams

SLIME

Ilustrado por Tony Ross

Tradução de Rita Amaral

Slime
David Walliams

Publicado em Portugal por:
Porto Editora
Divisão Editorial Literária – Porto
Email: delporto@portoeditora.pt

Publicado originalmente em Inglaterra por HarperCollins Children's Books, uma divisão da HarperCollins Publishers Ltd., com o título *Slime*

1.ª edição: junho de 2021

Rua da Restauração, 365
4099-023 Porto
Portugal

www.**portoeditora**.pt

Execução gráfica **Bloco Gráfico**
Unidade Industrial da Maia.

DEP. LEGAL 482876/21
ISBN 978-972-0-03434-2

Para Dante,

o rapaz mais fixe sobre rodas

OBRIGADOS
GOSTARIA DE AGRADECER A...
ANN-JANINE MURTAGH
Editora
CHARLIE REDMAYNE
Diretor Executivo
TONY ROSS
Ilustrador
PAUL STEVENS
Agente Literário
HARRIET WILSON
Editora
KATE BURNS
Editora de Arte
SAMANTHA STEWART
Diretora Administrativa

VAL BRATHWAITE
Diretora Criativa
DAVID McDOUGALL
Diretor de Arte
MATTHEW KELLY
Designer
SALLY GRIFFIN
Designer
KATE CLARKE
Designer
TANYA HOUGHAM
Editora de Áudio
GERALDINE STROUD
Diretora de Relações Públicas
SLIME
David Walliams

Esta história passa-se na Ilha Sebenta. Nesta pequena ilha moram algumas grandes personagens…

Este é o **NED**. Ned é um rapaz de 11 anos muito esperto e engraçado. As pernas de Ned começaram a ter problemas quando ele era bebé, por isso usa uma cadeira de rodas para se deslocar pela ilha.

JEMIMA é a irmã mais velha de Ned. O que Jemima mais gosta de fazer é pregar partidas terríveis ao seu irmão mais novo.

Os **PAIS DE NED**: o pai passa o dia inteiro no mar, no seu barco de pesca. A mãe passa o dia no mercado da ilha a vender o peixe que o pai apanha.

FAUSTINO FÚRIA é o diretor da antiga escola de Ned, a Escola Sebenta para Crianças Ignóbeis. É a antiga escola de Ned porque o Diretor Fúria o expulsou durante um dos seus épicos acessos de raiva.

O PROFESSOR COBIÇA é o vice-diretor da Escola Sebenta para Crianças Ignóbeis. O maior desejo dele é conseguir o cargo mais importante da escola, o de diretor.

ISAQUE e **ISAAC INVEJA** são donos da única loja de brinquedos da ilha, o Bazar Inveja. Os terríveis gémeos odeiam crianças pelo simples facto de serem jovens e, habitualmente levam as pobres coitadas a fugirem da loja lavadas em lágrimas.

A **MADAME SILENZIO SORNA** é a professora de piano mais preguiçosa do mundo. A mulher recebe muito dinheiro para dar aulas de piano a crianças. Contudo, limita-se a fazer sestas no sofá enquanto solta puns. E são puns MUITO RUIDOSOS.

O **CAPITÃO BRIOSO** é o guarda do parque da ilha. O parque público é o grande orgulho deste ex-oficial do exército. Tem tanto brio no parque que nunca deixa ninguém entrar nele. Especialmente as criancinhas horríveis que pisam a sua preciosa relva.

GILBERTO e **GILBERTA GLUTÃO** são donos da única carrinha de gelados da ilha, a Gelados Glutão. É a única que existe porque eles fizeram com que todas as outras carrinhas de gelados rivais se despistassem. Este é um casal de ladrões que rouba o dinheiro às crianças e foge sem lhes dar os gelados; e, claro, o par maléfico fica com os gelados todos.

A **TIA AVELINA AVARENTA** é a tia super--rica de Ned e Jemima. É dona da Ilha Sebenta e vive sozinha num castelo no topo de uma colina, com vista sobre toda a ilha. Por única companhia tem mais de uma centena de gatos, todos chamados *Tareco*.

O **TARECO GIGANTESCO** é o gato mais corpulento da Tia Avelina. Tem o mesmo tamanho e o mesmo peso de um urso, mas é infinitamente mais assustador.

E, por fim, mas não menos importante, o **SLIME**.

Ah, sim, o Slime está bem vivo. É uma criatura que tem poderes para mudar de forma ou "trans-slimar-se" em TUDO e MAIS ALGUMA COISA.

Mas o Slime é uma força do

BEM ou do **MAL?**

Tens de continuar a ler…

O lojista **RAJ** não vive na Ilha Sebenta.

Prólogo

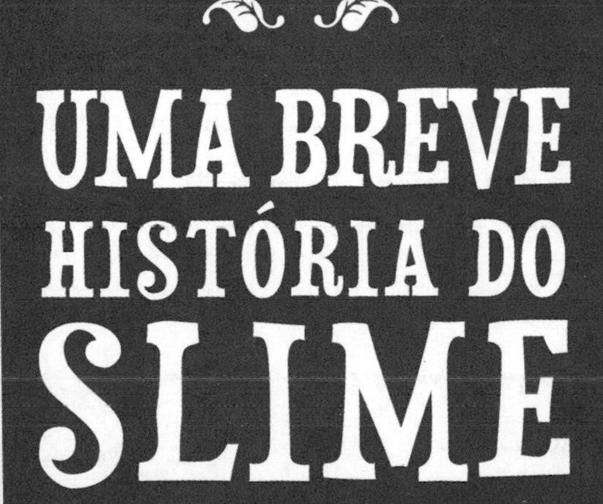

O SLIME é

um dos maiores mistérios do mundo. Se não mesmo o maior.

STONEHENGE

PIRÂMIDES DO EGITO

Fica à frente da criação de Stonehenge, ridiculariza o poder das pirâmides do Egito e faz um cocó viscoso sobre o Monstro de Loch Ness.

MONSTRO DE LOCH NESS

SLIME.

O que é?

Onde está?

Quem é?

Como está?

E porque existe?

As crianças exigem saber de onde vem o SLIME. E os adultos querem desesperadamente perceber se irá voltar para o sítio de onde veio.

Pela primeira vez na história, a lenda do SLIME poderá finalmente ser contada. Tudo será revelado neste mesmo livro, que poderá muito bem ser o livro mais *importantástico** de todos os tempos.

Alguns peritos acreditam que o SLIME teve origem há biliões de anos.

A teoria desses peritos afirma que, quando a Terra foi criada, não era mais do que um oceano de SLIME. E a partir desse SLIME surgiu mais SLIME.
E a partir desse SLIME surgiu ainda mais SLIME.
E depois, é claro, a partir desse SLIME surgiu ainda muito mais SLIME. O SLIME ficou escondido no interior da Terra durante biliões de anos. Até agora...

Outros teorizam que, no início dos tempos, um gigantesco meteoro de SLIME embateu contra a Terra. Durante o impacto, mil milhões de litros de SLIME explodiram pelo ar, cobrindo todos os seres vivos de gosma espessa. O que explica por que razão os dinossauros foram extintos – foram *SLIMADOS*.

---

* *Uma palavra verdadeira que encontrarás no teu* ***Walliamscionário****, o melhor dicionário do mundo.*

Uma outra teoria defende que, há muitos anos, extraterrestres feitos de SLIME, vindos de um planeta feito de SLIME (o planeta SLIME), chegaram à Terra numa nave espacial feita de SLIME. Uma vez na Terra, ensinaram às civilizações antigas tudo o que havia para saber sobre SLIME.

EXTRATERRESTRES DE SLIME

Como construir edifícios de SLIME.

Quais as melhores receitas para cozinhar com SLIME.

E, o ensinamento mais importante, como fazer meias de SLIME.

EDIFÍCIOS DE SLIME

Depois, os extraterrestres feitos de SLIME entraram nas naves espaciais feitas de SLIME e voaram de volta para o seu planeta feito de SLIME, o planeta SLIME. E nunca mais regressaram. Contudo, terão deixado o segredo do SLIME com a raça humana, para que as crianças pudessem atormentar os adultos com SLIME para sempre.

A verdade é bastante diferente.

Na realidade, o SLIME foi criado há mais de 50 anos numa ilha remota. A ILHA SEBENTA, para sermos precisos. A ilha fica situada a meio do Grande Mar do Nordestedosudoeste, entre as ilhas de Fofoquice e Fedor.

E como é que eu sei tudo isto?

Porque acabei de o inventar.

MAPA DA
ILHA SEBENTA
Casa da
Madame
Silenzio Sorna
Bazar
Inveja
Casa
de Ned
Mercado
Porto
Mar

Castelo Areia
de Gato
Fosso
Gelados
Glutão
Escola Sebenta
para Crianças
Ignóbeis
Parque
Ruínas
do velho
forte

Capítulo 1

ILHA SEBENTA

Na pequena ILHA SEBENTA viviam menos de 1000 pessoas, precisamente 999 pessoas – eu disse que eram menos de 1000.

Uma destas **999** pessoas era um rapaz chamado Ned. "Ned" não era diminutivo de nada – o nome dele era simplesmente Ned. Ned tinha 11 anos de idade. Nascera na ILHA SEBENTA e, tal como a maior parte dos outros ilhéus, nunca saíra da ilha.

Dizer que Ned era apenas um rapaz normal, ordinário, seria errado. Ele não era O R D I N Á R I O – era **extraordinário**. Quando nascera, as suas pernas não funcionavam. Não conseguia andar, por isso tinham-lhe dado uma velha cadeira de rodas ferrugenta com a qual se deslocava. Era frequente ver o rapaz a ziguezaguear pela ilha fora, a fazer truques ou cavalinhos, para delícia dos seus amigos.

– AQUI VOU EUUUIUU!

– gritava ele ao passar pelos amigos.

A casa de Ned era uma velha e minúscula casa de campo que já vira melhores dias. Empoleirada no topo de uma falésia, a casinha tinha vista para o impetuoso mar que rodeava a ilha.

A mãe e o pai de Ned passavam o dia fora de casa, pois trabalhavam desde o amanhecer até ao anoitecer. O pai era pescador, por isso passava o dia no mar, no seu barco de pesca. A mãe vendia o peixe que o pai apanhava no mercado da ilha. O único tipo de peixe que existia em redor da ILHA SEBENTA chamava-se **peixe-sapato**. Eram peixes em forma de sapatos.

E o pior é que os peixes sabiam mesmo a sapatos. O sabor predominante era semelhante ao suor dos pés. Mas as pessoas da ilha já se tinham habituado àquele sabor, por mais nojento que fosse. Não tinham outro remédio.

Escusado será dizer que tanto o pai como a mãe de Ned TRESANDAVAM a peixe. Mas como estavam sempre a trabalhar, Ned acabava por não os ver (nem cheirar) muito.

Por isso, o rapaz ficava em casa sozinho com a irmã. Jemima nutria um grande ressentimento por Ned. Ela podia ser a irmã mais velha, mas era o irmão mais novo quem colhia todas as atenções.

A menina usava vestidos curtos *floridos* muito bonitos e umas enormes botas com **BIQUEIRA DE AÇO**, e não tinha medo de as usar.

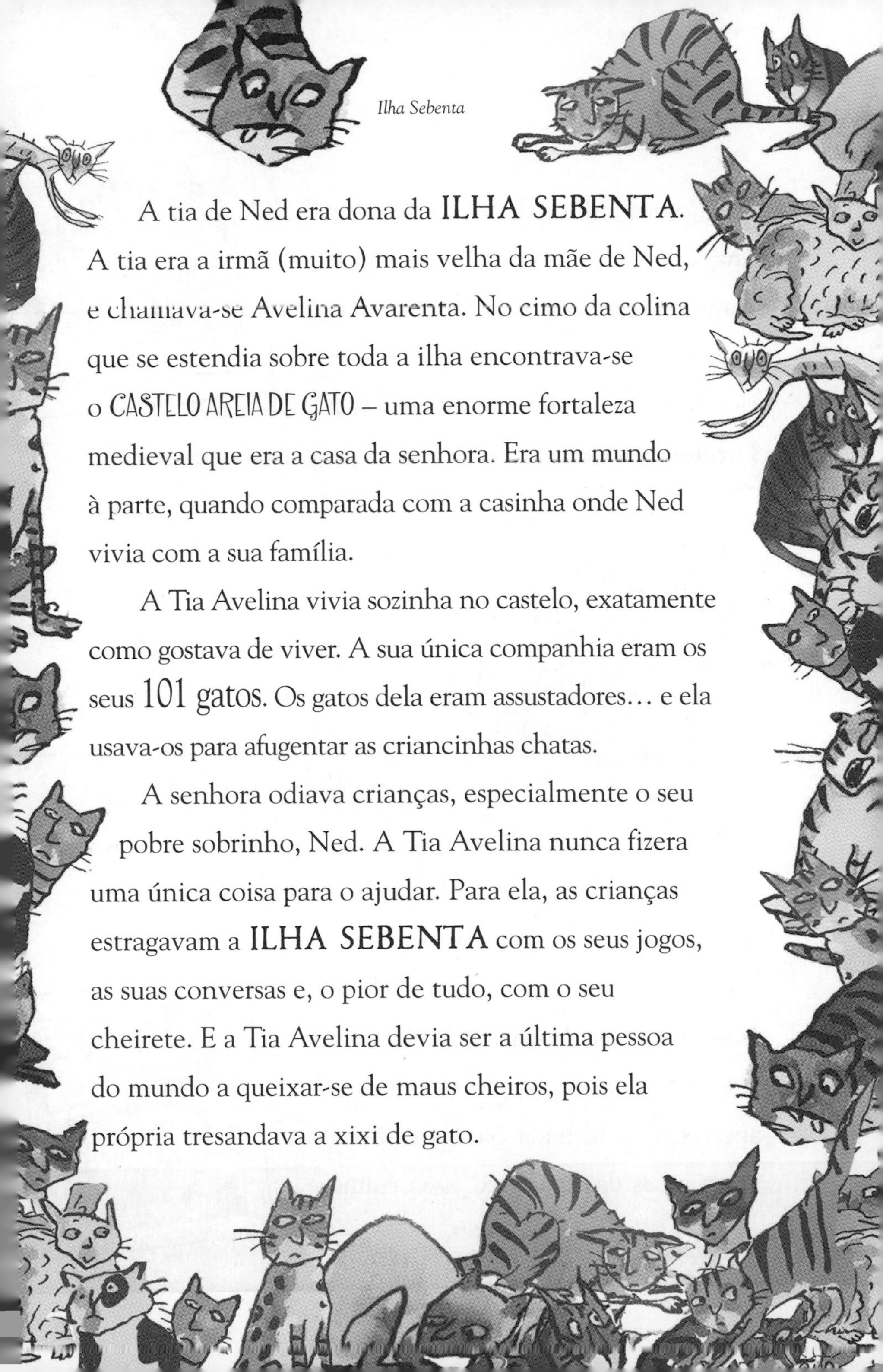

A tia de Ned era dona da **ILHA SEBENTA**. A tia era a irmã (muito) mais velha da mãe de Ned, e chamava-se Avelina Avarenta. No cimo da colina que se estendia sobre toda a ilha encontrava-se o CASTELO AREIA DE GATO – uma enorme fortaleza medieval que era a casa da senhora. Era um mundo à parte, quando comparada com a casinha onde Ned vivia com a sua família.

A Tia Avelina vivia sozinha no castelo, exatamente como gostava de viver. A sua única companhia eram os seus 101 gatos. Os gatos dela eram assustadores… e ela usava-os para afugentar as criancinhas chatas.

A senhora odiava crianças, especialmente o seu pobre sobrinho, Ned. A Tia Avelina nunca fizera uma única coisa para o ajudar. Para ela, as crianças estragavam a **ILHA SEBENTA** com os seus jogos, as suas conversas e, o pior de tudo, com o seu cheirete. E a Tia Avelina devia ser a última pessoa do mundo a queixar-se de maus cheiros, pois ela própria tresandava a xixi de gato.

Por ser a dona da ilha, a **Tia Avelina** controlava todos os que lá viviam. A senhora recompensava os que odiavam crianças tanto como ela as odiava. Uma dessas pessoas era o **Diretor Faustino Fúria**, um homem velho e miserável que Avelina Avarenta nomeara diretor da única escola da ilha, a **ESCOLA SEBENTA PARA CRIANÇAS IGNÓBEIS**. A única coisa que dava prazer a Faustino Fúria era expulsar alunos. E, tal como tantos outros, Ned sofrera esse destino.

Havia apenas uma loja de brinquedos na ilha. Avelina Avarenta pusera dois irmãos gémeos à frente da loja, **Isaque** e **Isaac Inveja**, que chamaram à loja BAZAR INVEJA. Mas a loja era apenas uma fachada para aterrorizar as crianças da ilha. Ned tivera uma

experiência particularmente desagradável da última vez que lá tinha ido.

Outra residente da ILHA SEBENTA era a **Madame Silenzio Sorna**. A senhora era, supostamente, professora de piano, mas era demasiado preguiçosa para ensinar fosse o que fosse a crianças. Sorna era uma virtuosa, ou seja, uma verdadeira especialista em crueldade. Ned tivera o azar de ser um dos seus alunos, e quando ele se atrevia a queixar-se caía o Carmo e a Trindade.

O **Capitão Brioso** era um ex-soldado rígido e reprimido que Avelina Avarenta designara como guarda do parque da Ilha Sebenta. O capitão garantia que ninguém desfrutava do único parque público da ilha, especialmente crianças como Ned.

Os vendedores de gelados **Gilberto** e **Gilberta Glutão** nunca deixavam as crianças comer gelados. O casal *percorria* a ilha na sua carrinha, procurando crianças para roubar.

Tirava-lhes o dinheiro e depois fugia sem lhes dar o gelado. Se o casal Glutão tivesse vivido em qualquer outra parte do mundo, que não a ILHA SEBENTA, já teria sido trancado numa prisão há muito tempo. Contudo, Avelina Avarenta deleitava-se com o golpe recorrente dos Glutão e fazia tudo para que não sofressem consequências, mesmo quando roubavam Ned, o seu próprio sobrinho.

Portanto, esta pequena ilha acolhia um grande número de adultos **horríveis**. Mas havia uma criança na ilha que provavelmente era tão má como eles.

E o pobre Ned pertencia à família dessa pessoa.

Era a sua **irmã**.

Capítulo 2
UMA MENINA TERRÍVEL

O que a irmã de Ned, Jemima, mais gostava de fazer era pregar partidas horríveis ao irmão. Eram partidas que a faziam rir-se sozinha durante todo o dia e toda a noite.

– EH! EH! EH!

Não era um riso simpático. Era um riso **cruel**, como se tivesse noção do quão **horrível** era.

As partidas eram absolutamente aterradoras:

Pôr minhocas escorregadias e pegajosas dentro do pijama do irmão.

– NHEC!

Trocar a pasta de dentes de Ned por cola para que ele colasse os dentes.

– HMM-HMM!

Esvaziar o frasco da compota preferida de Ned e enchê-lo de vespas trituradas.

– BLHEC!

Pintar de roxo tudo o que estava no quarto do irmão – as paredes, o chão, o teto, os brinquedos, as roupas e até o seu hámster.

– NÃOOOO!

Esconder uma enorme aranha **peluda** aos pés da cama dele para que lhe mordesse os dedos dos pés.

– AHHH! AIIII!

Salpicar o tampo da sanita com piripíri em pó para que o rabiosque do rapaz ficasse a arder.

Trocar os doces favoritos de Ned – passas cobertas de chocolate – por caganitas do hámster.

– ARGH!

Dar puns para dentro de uma velha caixa de madeira durante uma semana. Depois, abrir a caixa no quarto de Ned para que ele sentisse a **FEDORESMAGORIA***.

– BLHEEEEEEC!

Contudo, nada disto se comparava à partida aterrorizante que Jemima andava a planear pregar ao seu irmão mais novo.

---

* *Mais uma palavra verdadeira que poderás facilmente encontrar no teu* **Walliamscionário**.

Capítulo 3

IMUNDÍCIE

Jemima era uma criança que adorava tudo o que fosse NOJENTO. E não eram apenas coisas como aranhas e minhocas, mas também todo o tipo de coisas gosmentas. A menina tinha **porcaria** guardada em frascos, que estavam arrumados um pouco por toda a pequena casa da família.

Tinha coisas que se podiam encontrar debaixo de pedras. Coisas que se podiam encontrar no fundo de lagos. Coisas que espreitavam de dentro de ralos.

Jemima apanhava tudo o que encontrava. Depois, guardava tudo em frascos. Com o passar do tempo, colecionara centenas e centenas de frascos com todo o tipo de **imundice.** Cada um dos frascos tinha uma etiqueta para que Jemima soubesse o que continha. Até causa arrepios só de pensar na forma como a menina conseguira recolher algumas destas coisas repugnantes. Eram coisas que ninguém quereria tocar com as próprias mãos!

Havia jarros, jarros e ainda mais jarros ao fundo de todos os guarda-roupas, em todos os armários e até debaixo do soalho de madeira.

Jemima acumulava-os na casa da família, pois queria pregar a **MAIOR** partida de sempre ao seu irmão mais novo.

Era uma partida que faria a casa vir abaixo com o som dos gritos dele.

– AHHHHHHH!

Um grito que ecoaria pela ILHA SEBENTA para todo o sempre.

Jemima ria-se para si mesma até adormecer, pensando no seu plano maléfico.

– EH! EH! EH!

Havia um único problema.

O irmão já a tinha topado.

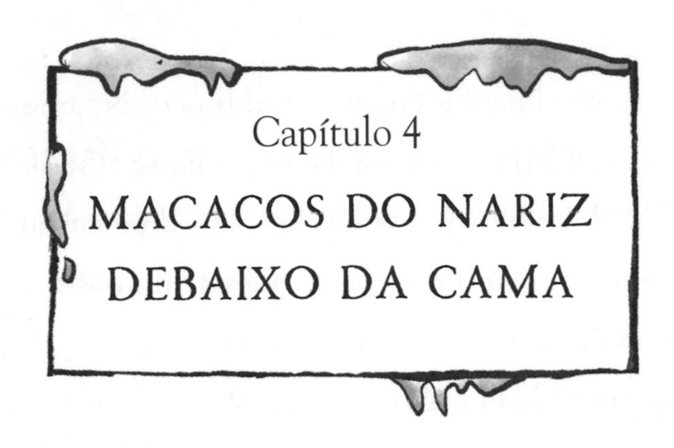

Capítulo 4

MACACOS DO NARIZ DEBAIXO DA CAMA

Ned encontrara os frascos. A princípio, só um. Certa noite, Ned estava a dormir profundamente e rebolou para o chão.

TUMP!

– AI!

A queda acordou-o. O rapaz estava prestes a içar-se de novo para o colchão quando reparou em algo a brilhar debaixo da cama, no meio da escuridão.

Esticou o braço e encontrou o frasco. Na etiqueta – escrita com a letra rabiscada da irmã – lia-se **MACACOS DO NARIZ.** Olhando com mais atenção, Ned percebeu que o frasco estava mesmo repleto de **macacos** do nariz. E pareciam ser macacos do nariz de Jemima.

Ela tirara, **lambera** e *atirara* tantas catotas a Ned ao longo dos anos que ele agora conseguia reconhecê-las num instante. Os macacos do nariz dela tinham um tom verde acastanhado.

Ned percebeu de imediato que a sua malvada irmã estava a preparar alguma coisa.

Mas porque teria ela escondido os próprios **macacos** do nariz num frasco debaixo da cama dele?

O rapaz afastou os cobertores e viu que este era apenas um no meio do que deveriam centenas de frascos… cada um deles a conter algo ainda mais nojento do que o frasco anterior. Ned ficou de olhos esbugalhados ao ler as etiquetas.

---

* *Esta é a palavra correta. Em caso de dúvida, por favor, consulta o teu* ***Walliamscionário****, a melhor referência para palavras inventadas do mundo.*

Ned retirou um por um os frascos que estavam debaixo da cama, tendo muito cuidado para que não batessem uns nos outros, pois o som poderia acordar a malvada irmã, que dormia no quarto ao lado.

Depois, Ned içou-se para a sua velha cadeira de rodas de forma a procurar mais frascos.

A vantagem de alguém se deslocar sobre rodas é o facto de se poder mover em silêncio e sem ser detetado.

A não ser que vás de encontro a um móvel.

Ou atropeles o gato.

MIAU!

Ned passou pela porta do quarto da irmã e dirigiu-se à sala. Hmm... deixa cá ver, pensou ele, *o que poderá ser um bom esconderijo?*

Esse sítio acabou por ser... em toda a parte!

Havia frascos, frascos e mais frascos de coisas **nojentásticas*** escondidas por todos os cantos da sala.

---

* *Não deixes para amanhã. Compra o teu* **Walliamscionário** *ainda hoje.*

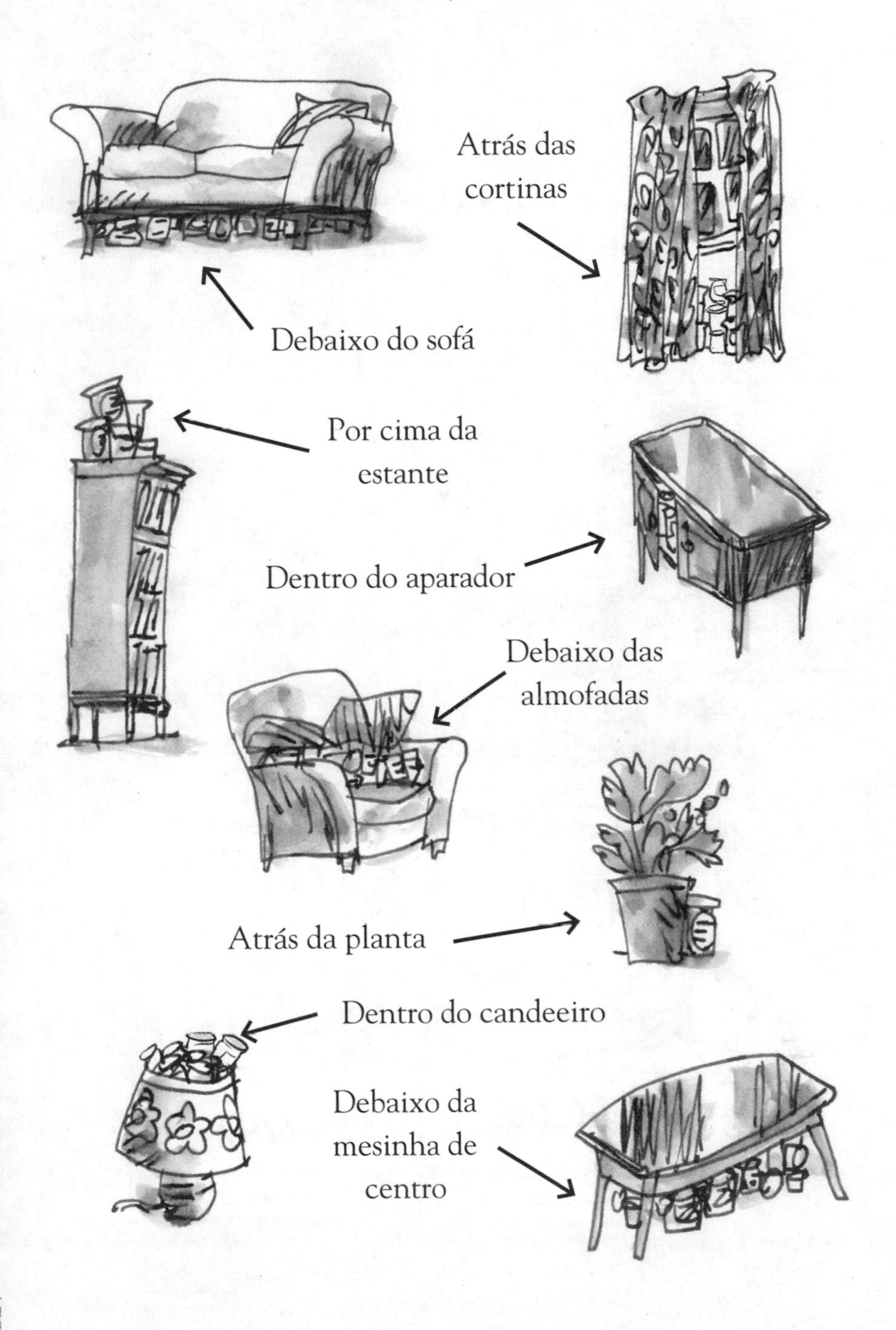
Atrás das cortinas
Debaixo do sofá
Por cima da estante
Dentro do aparador
Debaixo das almofadas
Atrás da planta
Dentro do candeeiro
Debaixo da mesinha de centro

E na cozinha era o mesmo cenário. E no corredor também.

Ned passou pelo armário da caldeira e ouvi um gorgolejo.

GLU! GLU! SPLASH!

Quando abriu a porta, viu frascos e mais frascos a transbordar com **gosma.** O calor da caldeira devia ter feito a **porcaria** expandir. Era de espantar que nenhum dos frascos tivesse explodido.

Estes frascos estavam etiquetados, como os outros, cada etiqueta mais enigmática do que a anterior.

O que eram estas coisas?

A questão mais importante era: o que pretendia ela fazer com tudo isto?

O rapaz aproximou-se do quarto dos pais e espreitou por uma frincha na porta.

A cama deles estava vazia. Era de madrugada e os pais já estavam a trabalhar. O pai provavelmente já estaria no barco e a mãe a montar a banca no mercado. Ned revistou rapidamente o guarda-roupa dos pais, e encontrou ainda mais frascos.

– Isto cada vez está melhor… – murmurou o rapaz para si mesmo.

Em seguida, Ned rolou de volta para o corredor, dirigindo-se para o quarto da sua temida irmã.

PLOC! PLOC!! PLOC!

Tinha a certeza de que a resposta estaria algures no quarto dela.

Encostou a orelha à porta do quarto.

– ZZZ! ZZZ! ZZZ!

Jemima dormia profundamente, ressonando como um comboio a vapor.

Colado à porta do quarto estava um cartaz afixado no qual se lia…

Era a oportunidade de Ned. Respirou fundo. Depois, abriu a porta, o mais silenciosamente que conseguiu…

CLIC!

… e entrou, rolando devagarinho pelo quarto.

PLOC! PLOC!! PLOC!

Há anos que a irmã não permitia que ela entrasse no quarto dela. Aliás, não era de admirar que não deixasse entrar lá ninguém. O quarto dela estava a abarrotar de frascos e mais frascos de **porcaria!** Devia haver milhares e milhares de frascos do chão ao teto. E era óbvia a razão por que Jemima tinha frascos escondidos por toda

essamente
BIDA.
zadas que passem
vam com um
TRASEIRO!

a casa: já não tinha espaço no quarto! Era um milagre que conseguisse entrar ou sair de lá!

Ned observou a irmã a dormir, reparando que ela usava as botas de **BIQUEIRA DE AÇO** na cama, e começou a procurar pistas. Devia haver ali qualquer coisa que lhe mostrasse o que ela planeava fazer com todos aqueles frascos de **imundície.**

Os cadernos escolares de Jemima estavam num dos cantos do quarto. Ned sabia que a irmã nunca se esforçava na escola, por isso ficou surpreendido ao ver como pareciam gastos. Assim que os abriu, descobriu que não continham trabalhos da escola. Ai, não, não.

Os cadernos estavam repletos

de planos para a partida diabólica

que ela estava prestes a pregar-lhe...

Capítulo 5

O BANHO DA MORTE

Os olhos de Ned arregalaram-se por completo. Um horror inimaginável.

As palavras e os desenhos nos cadernos da irmã descreviam o plano com um detalhe medonho.

Então era isto que a sua malvada irmã estava a planear!

Havia listas, calendários, gráficos, diagramas e até um livro com imagens que mostravam como tudo iria acontecer.

Chamava-se:

E o aniversário do rapaz era…

NO DIA SEGUINTE!

Uma vez por ano, no seu aniversário, Ned tomava um banho.*

Na pequena casa da família só havia água quente suficiente para um banho por dia. É claro que Jemima açambarcava a água quente até à última gota. Por isso, não é surpreendente que os pais deles tresandassem a peixe.

A única exceção a esta regra era o aniversário do irmão mais novo. Nesse dia especial, os pais de Jemima obrigavam-na a ceder e a deixar o pobre Ned **MALCHEIROSO** tomar o seu banho anual.

Por isso, o plano de Jemima consistia em encher a banheira com toda aquela **porcaria** no dia seguinte. Todos os conteúdos de todos aqueles frascos seriam despejados para dentro da banheira até esta ficar a transbordar. Depois, ela ia pôr espuma por cima da **imundície**, para que Ned não visse o horror que o esperava por baixo.

---

* *Sei que não parecem muitos banhos para um ano inteiro. Um banho. Eu próprio gosto de tomar banho pelo menos duas vezes por ano. A não ser que já esteja limpo e não haja necessidade de o tomar. Às vezes gosto de me lamber como os gatos, para ficar limpinho.*

O Banho da Morte.

Até havia um diagrama no caderno dela que mostrava a camada escondida de **imundície.**

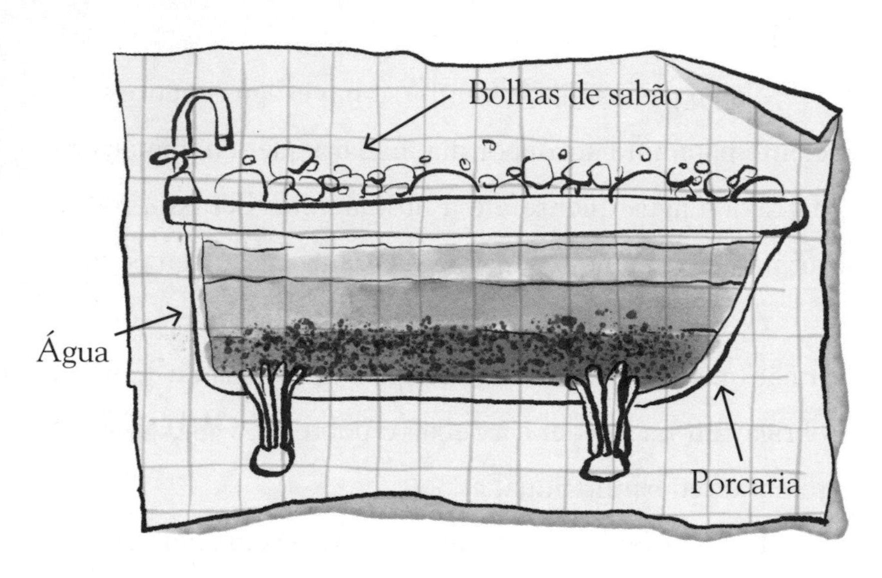

Jemima sabia que o irmão não iria suspeitar de nada. Afinal de contas, isto era a prenda de anos dele! Ned iria pensar que um fantástico banho quentinho o esperava e entraria na banheira. Depois…

– ARGH! – gritaria ele ao ficar coberto da cabeça aos pés em **porcaria.**

Em choque, Ned deixou cair o caderno ao chão.

TUMP!

A menina mexeu-se.

Ned susteve a respiração.

Depois, ela voltou-se para o outro lado e continuou a dormir.

– ZZZ! ZZZZ! ZZZZZ!

Com muito cuidado, o rapaz começou a rolar para fora do quarto. Tinha de dar a volta na cadeira de rodas, mas com todas aquelas montanhas de frascos não havia espaço suficiente para ele se virar.

PLOC! PLOC!! PLOC!

E deu-se… um DESASTRE!

CLINC! CLANC! CLUNC!

O apoio para os pés da cadeira de rodas deu um piparote num dos frascos no chão. Por cima desse frasco devia haver 50 frascos amontoados.

Ned esticou o braço, mas foi demasiado tarde. O arranha-céus de frascos começou a cair.

PLOP! PLOP! PLOP!

O frasco do topo da torre ia direitinho a Jemima!

O frasco caía pelo ar e o tempo parecia abrandar.

Ned conseguiu apanhar o frasco a um mili-milímetro de **acertar em cheio** na cabeça da irmã. Por muito que até gostasse de ver a irmã a levar com um frasco de **FIRNONHA** (o que quer que isso fosse) na cabeça, infelizmente, aquela não era a melhor altura, pois iria estragar a surpresa *dele*!

E foi nesse momento que lhe ocorreu uma ideia.

P L I M !

Uma ideia tão simples que era brilhante. Simplesmente brilhante e brilhantemente simples. **BRIMPLES**.*

Ned ia virar o jogo contra Jemima!

---

* *Consulta o teu* **Walliamscionário** *para a definição detalhada.*

A menina tomava um banho todas as manhãs (à exceção do dia de aniversário de Ned, claro – vá, presta atenção). Por isso, Ned iria fazer-lhe **EXATAMENTE** a mesma coisa que ela planeava fazer-lhe. Ned ia preparar o

Banho da Morte!

O rapaz recolheu silenciosamente todos os frascos de porcaria espalhados pela casa e levou-os para a casa de banho.

Depois, trancou a porta.

CLIC!

Ele não queria que Jemima irrompesse pela casa de banho antes de o **Banho da Morte** estar pronto.

– Ah! Ah! – riu-se o rapaz para si mesmo.

Lá fora ainda estava escuro, mas já prestes a amanhecer, e os pássaros começavam a cantar.

PIU! PIU! PIU!

Um por um, o rapaz abriu os frascos e despejou-os na banheira.

Havia todo o tipo de gosma que possas imaginar. Eram litros e litros de **gosma.** Por fim, a banheira estava c h e i a.

Após o que pareceram ser horas de pegar, abrir e despejar frascos, o rapaz estava exausto.

A recuperar o fôlego, Ned não reparou no que acontecia atrás de si.

GLU! GLU! SPLASH!

O que quer que estivesse na banheira
começava a **ganhar vida!**

Capítulo 6

UM MONSTRO DE GOSMA

Todos os tipos de **gosma** se misturavam, formando ondas na banheira.

SUICH!

As ondas cresciam…

SPLASH!

… e rebentavam.

S U I C H !

Ned olhou para trás. Era uma visão horripilante. O rapaz abriu a boca para gritar, mas não saiu qualquer som.

A banheira continha agora uma violenta tempestade de **gosma.**

SUICH! SUICH! SUICH!

Salpicava por toda a casa de banho, cobrindo tudo de **gosma.**

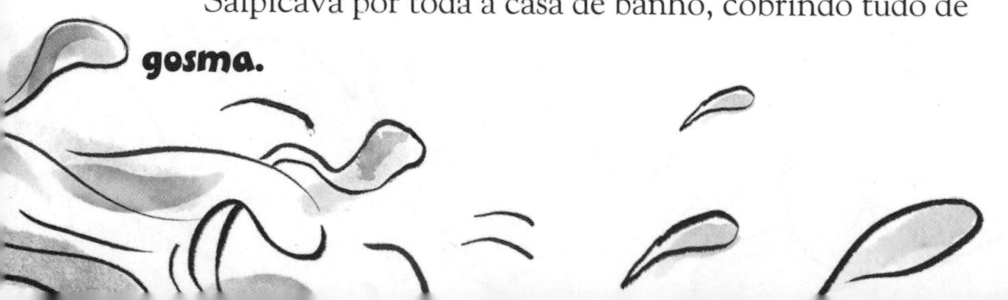

SUICH! SUICH! SUICH!

O lavatório, a sanita e até Ned... todos ficaram **gosmados!**

Depois, a **gosma** começou a deslocar-se de todos os sítios onde se tinha colado e voltou a unir-se.

PLOP!

A seguir, começou a tomar forma.

Inicialmente, ficou com a forma de um ovo gigante, parecido com um ovo de dinossauro. O ovo começou aos saltos...

TÓIM! TÓIM! TÓIM!

... antes de se lançar violentamente contra a parede da casa de banho.

CRAC!

A camada de fora partiu-se como se fosse uma casca de ovo e a gosma deslizou de lá de dentro.

O lodo **gosmento** começou a crescer e a crescer, transformando-se numa montanha.

SUICH!

Não, era um vulcão!

Um vulcão em erupção!

Mas não lançava lava para o ar, mas sim **gosma!**

CAPUM! **SPLASH!**

Esguichou para o teto da casa de banho e em seguida escorreu para o chão, transformando-se num elefante.

– FUMM! – bramiu ele.

A seguir, transformou-se num tubarão!

NHAC!

Não, num pássaro!

VAP! VAP! VAP!

O monstro gosmento nadava e voava ao mesmo tempo.

SUICH! VAP! *SUICH!* VAP!

O rapaz assistia, espantado, de queixo caído.

Era o melhor espetáculo de sempre!

E era só para ele!

Em seguida, o monstro de gosma explodiu em milhares de pedacinhos e transformou-se em fogo de artifício.

– Oh, não! – exclamou o rapaz.
– O que é que
eu fui fazer?

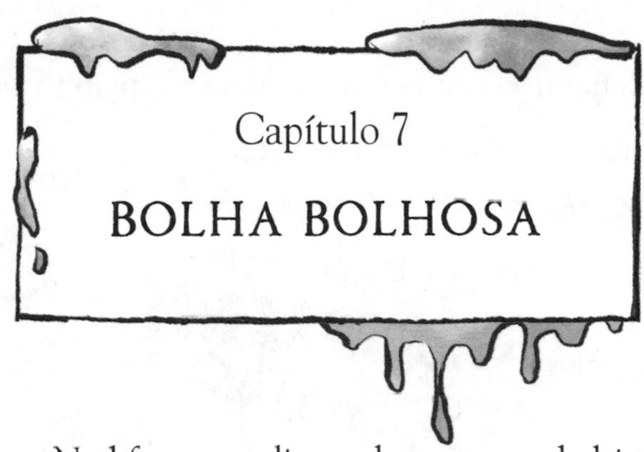

O que Ned fez nesse dia mudou o rumo da história.

Ao misturar os milhares de frascos de **gosma**, o rapaz criara uma matéria jamais vista.

O mundo nunca mais seria o mesmo.

Isto era incrível. Mais do que incrível. Para lá de incrível. **INCRIVELZÉRRIMO!***

---

* *Quer dizer incrível. Saberias isso se tivesses um* ***Walliamscionário****.*

Ned ficou completamente imóvel quando a gosma começou a rodopiar em torno dele.

ZUM!

Era um tornado de slime.

UM **SLIMENADO!***

* *Abre o teu* ***Walliamscionário*** *na letra "S" para uma definição completa.*

NÃO!, pensou Ned. *Vou ser* slimado *até à morte*.

Fechou os olhos com força e gritou:

– AHHHH!

Foi então que aconteceu uma coisa incrível.

O tubo rodopiante de gosma rodou por cima da cabeça do rapaz e colou-se ao teto.

PLOP!

Depois, começou a deslizar na direção de Ned.

Ao fazê-lo, começou a tomar outra forma.

Não era bem uma forma humana.

Parecia mais uma **bolha** em cima de outra **bolha** em cima de outra **bolha**.

É mais fácil se te mostrar.

Era assim…

Uma **bolhosérrima*** **bolha bolhosa** que estava pendurada do teto.

Um rosto enorme e viscoso, de pernas para o ar, que neste momento olhava para o rapaz.

---

* *A definição no* ***Walliamscionário*** *é "algo muito, muito, muito, muito, muito, MUITO bolhoso".*

– **Bom dia!** – gritou a coisa.

Ned olhou em redor de toda a casa de banho.

Não estava lá mais ninguém.

Esta coisa estava a falar com ele!

– **Eu disse "bom dia"!** – repetiu a coisa.

Para algo feito de gosma, tinha uma voz surpreendentemente chique. Era como se pertencesse à realeza. O que era altamente improvável. Tanto quanto me lembro, não há nenhum membro da família real feito inteiramente de gosma.

– Quem és t-t-tu? – balbuciou Ned, a tremer de medo.

– **Sou o que tu quiseres que eu seja** – replicou a coisa.

Dito isto, a bolha de gosma chapinhou pelo teto fora, de pernas para o ar.

PLOC! PLOC! SPLASH!

Depois, começou a descer pela parede abaixo, com a parte inferior viscosa a atuar como uma ventosa contra a parede.

PLOC! PLOC!

Por fim, a coisa pôs-se de pé no chão da casa de banho, a olhar para Ned.

– Diz-me lá, rapaz, o que queres que eu seja?

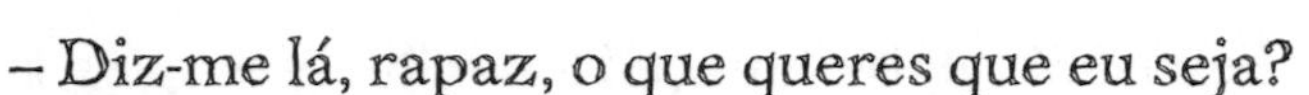

– Isto é tipo o Aladino? – perguntou Ned, entusiasmado.

– O que é que é tipo o Aladino?

– Tipo, esfregas uma lanterna mágica, sai de lá um génio e dá-te três desejos?

A gosma pareceu por momentos perdida nos seus pensamentos, e depois ripostou:

– Não. Não tenho uma lanterna mágica. Não sou um génio. E não te vou dar três desejos.

– Ah – replicou Ned.

– Dou-te desejos infinitos!

– Isso é muito, não é?

– São infinitos, por isso, sim, suponho que sim. A não ser que fossem infinitos mais um, o que seria parvo.

– Fixe! – exclamou Ned.

– Então, rapaz, diz lá, o que desejas que eu seja? Posso transformar-me em tudo e mais alguma coisa!

– Um hipopótamo! Um enxame de abelhas! Umas cuecas gigantes!

À medida que falava, aquela estranha matéria transformava-se em diferentes coisas.

– Pensa em algo começado por S!

Um sapo saltitão!

Uma super-mega esfinge.

Uma salsicha do tamanho de uma árvore.

Um saca-rolhas...

O rapaz observava em espanto, vendo a coisa a mudar de forma a uma velocidade estonteante.

– Uma sinfonia!

Dito isto, ouviu-se o som de um enorme tambor.

PUM!

A bolha de gosma dividiu-se no que pareciam ser centenas de minúsculos **glóbulos.** Voavam ao redor de Ned,

e o rapaz percebeu que não eram **glóbulos.** Eram notas de música! O som da sinfonia ecoava pela casa de banho e as notas musicais dançavam pelo ar como borboletas. O rapaz observava-as com espanto a rodopiar e a bailar ao ritmo da música.

– U-u-uau! – balbuciou ele.

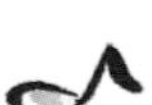

Depois, a sinfonia terminou e os **glóbulos** voltaram a unir-se. Desta vez, não se transformaram na forma **bolhosa** de **gosma.**

Ai, não, não.

Os **glóbulos** fundiram-se e adquiriram a forma de uma baleia. A baleia era tão gigantesca que ocupava a casa de banho inteira.

Flutuava pelo ar, abanando a cauda.

SUICH! SUICH! SUICH!

– **Estou de volta ao normal?** – perguntou a coisa. – **Algo me parece estranho.**

– Não! Não estás de volta ao normal! – exclamou Ned. – A não ser que para ti normal seja uma baleia hiper-mega-gigante!

A baleia de gosma olhou para baixo e depois deixou-se cair pelo ar.

PLOP!

Aterrou no chão como um pedaço de gelatina.

Fez-se S I L Ê N C I O .

Ned olhou para a coisa. O que quer que fosse, parecia ter ido desta para melhor. Era uma ex-coisa. Ao lado das rodas da cadeira de rodas do rapaz estava uma simples poça de **gosma.**

– **Slime!** – gritou Ned. Ele não sabia que outro nome lhe dar, e **"Slime"** pareceu-lhe apropriado. – Estás bem?

Uns momentos depois, a gosma fundiu-se novamente na forma de uma bolha.

– Assim está melhor – disse ele. – Sentia-me um bocadinho por toda a parte.

– Ufa, ainda bem! – exclamou Ned.

– Mas então, o meu nome é "Slime"? – perguntou ele.

– Não me estou a lembrar de um melhor.

– Hmm, Rogério? Arquimedes? Bruna? – sugeriu o Slime. – Podia muito bem ser uma Bruna.

– Hmm – contemplou o rapaz. – Acho que te pareces mais com **"Slime"**.

– Então fica "Slime" – disse **Slime**, olhando de maneira estranha para o rapaz, se é que é possível uma bolha de gosma olhar de maneira para estranha para alguém. – Foste tu que me criaste?

– Hmm, bem… – hesitou Ned. – Parece que sim!

– PAI! – exclamou **Slime**.

– Não!

– MÃE?

– NÃO!

– Então, és o quê?

– Bem, suponho que somos… – Inicialmente, Ned não se atrevia a dizê-lo, mas algo dentro de si dizia-lhe que o deveria fazer. – Amigos.

– Amigos – repetiu **Slime**. – Amigos! Gosto disso! Sim! Somos amigos!

O rapaz sorriu e inclinou-se para dar um abraço ao seu novo amigo, mas ficou com a cara cheia de gosma.

– Não me disseste o teu nome – observou **Slime**.

– É Ned – replicou Ned.

– Eu tenho um amigo chamado Ned! – exclamou **Slime**.

– Hmm, **Slime**?

– Sim, Ned?

– Preciso que me ajudes a pregar uma partida…

– Boa! Boa! – riu-se **Slime**, esfregando as mãos gosmentas uma na outra.

– … a alguém que já me pregou um milhão de partidas!

Foi então que se ouviu a bater à porta.

PUM! PUM! PUM!

– Que diabo se passa aí dentro? – exigiu saber uma voz. Era Jemima, claro. – Sai imediatamente, Ned! Ou dou um pontapé na porta e deito-a abaixo!

– Por acaso não será essa a pessoa? – perguntou **Slime**.

– Ah, como adivinhaste? – replicou o rapaz, com um sorriso maroto.

Capítulo 8

UM COCÓ MESMO MUITO RUIDOSO

– EU DISSE "QUE DIABO ESTÁS AÍ A FAZER"?! – gritou novamente a irmã, do outro lado da porta.

– Nada! – mentiu Ned.

– *NADA?!* – berrou Jemima.

– Acabei de ouvir o som de um vulcão! E depois música! E por fim o que parecia ser um peixe gigante!

Slime parecia prestes a dizer algo. Talvez fosse corrigir a menina, informando-a de que tecnicamente uma baleia era um mamífero, não um peixe.

Ned virou-se para o amigo e pôs um dedo sobre os lábios, fazendo o sinal internacionalmente reconhecido para silêncio.

Surpreendentemente, tendo em conta que era feito de gosma, **Slime** compreendeu.

– Estava só a fazer um cocó mesmo muito ruidoso... – balbuciou Ned, do outro lado da porta.

– Ruidoso? – exclamou ela. – Era ENSURDECEDOR! Vá, abre esta porta! JÁ! OU DEITO-A ABAIXO!

Era o som das botas com **BIQUEIRA DE AÇO** a darem pontapés na porta.

– Abre a porta! – disse **Slime**.

– O *quê?* – admirou-se Ned.

– Vamos pregar-lhe a tal partida!

– Agora? – perguntou o rapaz.

PRÁS! TRÁS! PUM!

– Boa! Boa! – exclamou **Slime**.

PRÁS! TRÁS! PUM!

Farpas de madeira começaram a explodir para dentro da casa de banho.

– O que queres que eu seja agora? – perguntou **Slime**.

– Talvez uma bota gigante! Podes dar-lhe um pontapé de volta!

– Fantástico! – replicou **Slime**, **trans-slimando-se** numa bota gigante.

PRÁS! TRÁS! PUM!

A porta da casa de banho voou fora das dobradiças, destruindo parte da parede.

A porta caiu ao chão com um estrondo…

CAPUM!

... e a casa de banho ficou coberta de pó.

Ninguém conseguia ver nada!

– NED! – bradou Jemima. – ONDE ESTÁS?

Ned manteve-se em silêncio enquanto a Bota Gigante de Slime (ou "slota"*) irrompia pelo meio da nuvem de pó.

– Mas que...? – soltou Jemima.

A menina tentou dar um pontapé à bota, mas o seu pé ficou preso na gosma.

– AHHHH! – gritou ela.

Ned não conseguiu evitar soltar uma gargalhada.

– Ah! Ah!

– NED! – gritou Jemima. – VOU DAR-TE UM PONTAPÉ NO RABO POR ISTO!

– Não, não, não – replicou a slota. – EU É QUE TE VOU DAR UM PONTAPÉ NO RABO!

---

* *Uma de biliões de palavras que irás encontrar no teu* ***Walliamscionário****.*

Dito isto, **Slime** soltou a bota da menina. Jemima começou a cair em direção ao chão e aterrou de gatas.

– ADEUS E ATÉ JÁ! – disse a **slota.**

Ganhou lanço e…

PUM!

… deu um pontapé **gosmatástico** no rabiosque da menina.

– AHHH! – gritou ela enquanto percorria o corredor aos trambolhões…

SUICH!

… antes de aterrar no sofá

na sala de estar.

Jemima saltou de imediato do sofá e começou a calcorrear o corredor, batendo com os pés no chão.

PUM! PUM! PUM!

– ESPERA SÓ ATÉ EU TE APANHAR, NED! DOU-TE SEMELHANTE PONTAPÉ QUE SÓ PARAS NA PRÓXIMA ILHA!

– Temos de sair daqui, **Slime!** – exclamou Ned. – Rápido!

– Mas como? – perguntou **Slime**, voltando à forma de bolha.

Ned olhou para a minúscula janela da casa de banho que ficava por cima da sanita. Não era muito maior do que uma portinhola de cão.

– É a única forma de sairmos – disse ele, apontando para a janela. – Mas eu nunca irei conseguir que a minha cadeira de rodas passe por ali!

– Hoje não vais precisar dela! Deixa-me ser as tuas asas!

– ASAS?! – O rapaz ficou sem palavras.

Slime *trans-slimou-se* num par de asas. As asas colaram-se aos ombros de Ned e começaram a bater.

VAP! VAP! VAP!

O rapaz sentiu-se a levitar da cadeira de rodas e começou a flutuar.

– UAU! – exclamou ele.

As asas não cabiam na janela, por isso **Slime**, ainda a segurar o rapaz, *trans-slimou-se* num escorregão.

PUM! PUM! PUM!

Jemima estava prestes a chegar à casa de banho quando Ned deslizou para fora da janela.

-N-N-N-N-N-N-N-N-N-N-E-E-E-E-E-E-E-E-E-E-E-E-E-E-D!

– gritou Jemima.

Mas o rapaz estava

livre!

Capítulo 9

BOLA DE SLIME

Ned deslizou pelo escorregão de **gosma** a alta velocidade.

SUICH!

A casa da família encontrava-se mesmo na ponta de um precipício sobre o mar.

Se o rapaz não parasse de deslizar, seria lançado pelo precipício, só parando nas rochas aguçadas lá em baixo.

Ned viu o fim do escorregão a aproximar-se e gritou:

– AHHHHH!

Fechou os olhos com força. Não se atrevia a ver o que estava prestes a acontecer.

MAS... num piscar de olhos, o escorregão de **gosma** tornou-se maior, maior e ainda maior.

Depois, fez um arco, torceu-se...

... e o rapaz deu por si

a dar uma volta

no ar.

– AHHHH! – gritou ele novamente, mas desta vez foi um grito de prazer!

Ned nunca se tinha divertido TANTO!

O escorregão de gosma fez uma curva, afastando-se da ponta do precipício, e seguiu para uns campos perto da casa. Continuava a ficar **cada vez mais gordo** até já não ser um escorregão.

Ai, não, não. Transformara-se num rinque de **slime**.

Um rinque de **slime** é parecido com um rinque de gelo, mas, em vez de gelo, tem... adivinhaste... **slime!** É um "slinque"*.

Todo o campo estava agora coberto de **gosma**. Ned disparou por lá fora a alta velocidade.

ZUUUUM!

---

* *Slinque é uma palavra 100% verdadeira. Vai ver ao teu* ***Walliamscionário****.*

– BOAAAAA! – exclamou ele.

Por fim, parou.

Depois, **Slime** voltou a *trans-slimar-se* a uma velocidade estonteante. As pontas do rinque de **gosma** curvaram-se para cima e fecharam-se sobre si mesmas.

Agora, transformara-se numa bola gigante!

Uma **BOLA DE SLIME!**

Rebolou pelo campo fora…

PLOC! PLOC!

… com o pequeno Ned dentro dela!

Depois, a bola de **slime** começou a saltar.

Saltou, saltou e continuou a saltar.

Saltou por cima de uma ovelha.

MÉÉÉ!

TÓIM!

Saltou por cima de uma sebe.

TRÁS!

TÓIM!

E agora saltitava pela estrada fora.

Ned ouvia um trator a aproximar-se mais acima.

VRUM! VRUM!

O som do enorme veículo soava cada vez mais alto.

VRUM! VRUM! VRUM!

O trator ia direitinho a eles.

VRUM! VRUM! VRUM!

– CUIDADO! – gritou Ned, sem saber muito bem onde estavam os olhos de **Slime** naquele preciso momento, tendo em conta que era uma bola saltitona gigante.

TÓÓÓÓIIIIIIMMMMMM!

Ned sentiu a bola de **slime** a dar um salto muito alto.

WHOOOOOOOOOOOOSH!

E ouviu o trator a passar por baixo deles.

VRUM! VRUM! VRUM!

Apesar de Ned ter ficado profundamente aliviado por não ter sido atropelado por um trator,

começou a sentir uma onda de pânico a abater-se sobre si. Pânico porque a bola de slime dentro da qual ele se encontrava voava agora pelo céu. E voava tão alto que chocou com um bando de gaivotas.

CUÁ!

CUÁ!

CUÁ!

Uma das gaivotas começou a depenicar na bola de slime…

POC!

… e ela REBENTOU!

POP!

Ned sentiu-se logo a cair pelo ar.

– SOCORROOOOO! – gritou ele.

Mas **Slime** foi rápido a agir. *Disparou* à frente do rapaz e *trans-slimou-se* num trampolim!

Um **SLIMOLIM!***

Ned atingiu o **SLIMOLIM** a alta velocidade e deu um salto pelo ar.

BÓIM!

---

* *Abre a pestana. Compra um **Walliamscionário**.*

E mais outro. BÓIM!

Um sorriso espelhou-se no seu rosto. Estava vivo! E, melhor ainda, saltava!

BÓIM! BÓIM! BÓIM!

– FIXEEEE! – gritou ele, deliciado.

Mas festejou demasiado cedo. Ao olhar para baixo, viu que o **SLIMOLIM** tinha desaparecido.

– NÃOOOOO! – gritou.

O rapaz caía rapidamente em direção ao solo e olhou em redor. Por mais que tentasse, não via **Slime** em lado nenhum.

É o fim, pensou.

A estrada em baixo aproximava-se rapidamente.

Depois...

Uma águia gigante com todas as cores do arco-íris **precipitou-se** por baixo de Ned e levou-o pelo ar. O rapaz estava agora a **voar**. A voar muito alto, sobre o mar, sobre o precipício, sobre a sua casa.

– Tu consegues mesmo transformar-te em qualquer coisa! – exclamou Ned.

– Qualquer coisa! – exclamou a ave de **slime** ou "*SLAVE*"*.*

* Ver ***Walliamscionário***, letra "S".

Dali de cima, a ILHA SEBENTA parecia minúscula. As casas pareciam pequenas, as árvores pareciam pequenas e as pessoas pareciam pequenas. Na verdade, as pessoas pareciam tão pequenas que era como se fossem pouco maiores do que formigas. E quanto às formigas, essas pareciam mesmo, mesmo, *mesmo* muito pequenas.

Pela primeira vez na sua curta vida, Ned sentiu algo que nunca sentira.

PODER.

O rapaz criara algo que podia mudar tudo.

A ILHA SEBENTA estava cheia de adultos horríveis. Adultos que tornavam miseráveis a vida das crianças. Ned podia agora vingar-se de todas estas personagens horrendas. E a vingança não seria só sua, mas em nome de todas as crianças da ilha.

Não havia melhor altura

para Ned começar do que…

AGORA!

Capítulo 10

AS REGRAS DE FÚRIA

— Por ali! – exclamou o rapaz, voando pelo céu. – OLHA! É a minha antiga escola! Quero apresentar-te ao meu horrível diretor!

– Boa! Boa! – replicou **Slime**.

A ave bateu as asas e começou a descer na direção do assustador edifício gótico virado para o mar.

À porta da escola havia uma placa na qual se lia:

ESCOLA SEBENTA
PARA CRIANÇAS IGNÓBEIS

Tocou uma campainha.

PLIM!

Iam começar as aulas. O dia começava vergonhosamente cedo na **ESCOLA SEBENTA**, ainda de madrugada. Era assim que o diretor gostava. Fazia parte da tortura as crianças terem de acordar a meio da noite para se prepararem para a escola.

Quando começaram a descer em direção ao

recreio, Ned riu-se sozinho só de pensar na confusão que aí vinha.

Assim que as patas de gosma da ave tocaram no chão, Slime colocou Ned num banco e depois **trans-slimou-se** de volta numa bolha. A bolha pairava no ar, atrás do rapaz, como se fosse uma grande sombra pegajosa.

– Vamos dar ao Diretor Fúria razões para estar zangado – começou por dizer o rapaz.

– Boa! Boa!

Sem surpresa, mal viram uma ave gigante de gosma a aterrar no recreio, os professores começaram todos a correr para fora da escola, a gritar e a apontar para a coisa.

– NÃO ACREDITO! – gritou um professor.

– NÃO QUERO ACREDITAR! – gritou outro.

– ACREDITO, MAS NÃO QUERO ACREDITAR! – gritou um terceiro professor.

Todos os alunos da **ESCOLA SEBENTA** encostaram os narizes às janelas das salas de aula para ver. Tinham demasiado medo dos professores para se atreverem a ir ao recreio sem autorização.

Foi então que um homem com uma longa capa negra colocada sobre os ombros irrompeu do edifício. O homem embrulhou teatralmente a capa à sua volta, como se fosse o Conde Drácula.

SUICH!

Era apenas a sua batina de professor, mas dava-lhe um ar maléfico, que ele adorava.

O Diretor Fúria tinha uma grande cabeça careca que se parecia com um **OVO** – um **OVO** com um pequeno bigode desenhado nele. O bigode tremelicava sempre que o homem explodia de fúria. O que acontecia com muita frequência. Era tão habitual que eram mais as alturas em que o Diretor Fúria estava furioso do que os momentos em que não estava.

Este é o **FURIÓMETRO** de um dia típico do Diretor Fúria.

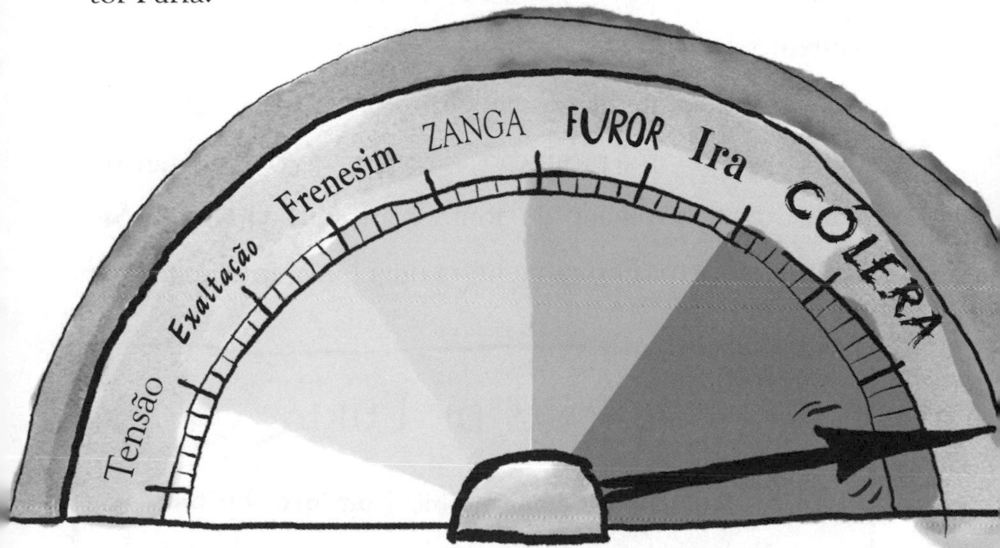

Como podes ver, a fúria dele rebenta com a escala. Praticamente rebenta com esta página.

O Diretor Fúria enfurecia-se com todas as crianças da **Escola Sebenta**. Como era a única escola que havia, isso queria dizer que o diretor se zangava com todas as crianças da ilha. As crianças sortudas levavam reguadas. As crianças azaradas levavam reguadas e depois eram **EXPULSAS** da escola.

– É expressamente proibido aterrar no recreio em cima de uma ave gigante! – rugiu o homem, marchando na direção de Ned. Apesar de não estar previsto no regulamento da escola ser proibido aterrar no recreio montado numa ave gigante de gosma, o diretor haveria certamente de acrescentar essa proibição ao regulamento. Ao longo do seu terrorífico reinado de 38 anos à frente da **Escola Sebenta**, o Diretor Fúria inventara uma longa lista de regras.

Regras de Fúria

i) PROIBIDO comparar-me a um ovo. Eu não sou parecido com um ovo. Os ovos não têm bigodes e eu tenho bigode, por isso não se fala mais nisso. Qualquer pessoa que me compare a um ovo será EXPULSA. Além disso, a minha cabeça é muito maior do que um ovo. Eu tenho orelhas e, que eu saiba, os ovos não têm orelhas.

ii) PROIBIDO dar puns nas instalações escolares sem uma carta de autorização do diretor. Mesmo que seja um pum acidental ao apanhar uma bola do chão, serás EXPULSO.

iii) PROIBIDO rir na escola. Não vens para a escola para rir. Contudo, é permitido qualquer tipo de choro ou **soluçar** profundo. Não existe som mais bonito do que o de uma criança em pranto. Se alguém for apanhado a rir levará reguadas e depois será EXPULSO.

iv) PROIBIDAS quaisquer desculpas para TPC em atraso. Não me interessa se a tua casa foi levada por um tornado ou se foste raptado por extraterrestres. Se os teus TPC chegarem atrasados nem que seja um segundo, serás EXPULSO.

v) São PROIBIDAS queixas sobre a comida da cantina. O peixe-sapato é extremamente saboroso e pode ser utilizado em todos os pratos confecionados na cantina.

Patê de **peixe-sapato**
Tarte de **peixe-sapato**
Ensopado de **peixe-sapato**
Caril de **peixe-sapato**
Bolo de **peixe-sapato**
Pudim de **peixe-sapato**
Mousse de **peixe-sapato**
Surpresa de **peixe-sapato** (a surpresa é que é o prato é feito de **peixe-sapato**)

Qualquer pessoa que se queixe da comida da cantina será obrigada a comê-la e depois será EXPULSA.

vi) PROIBIDO usar a gravata do uniforme escolar ao contrário, de forma que a parte fina fique de fora e a parte larga fique de dentro. Qualquer pessoa que seja apanhada a usar a gravata de maneira errada será agarrada pela gravata, rodopiada no ar e EXPULSA (atirada pela janela fora).

vii) PROIBIDO brincar no recreio. Durante os intervalos e a hora do almoço só é permitido ficar imóvel à chuva. São proibidos quaisquer jogos. Qualquer criança que seja apanhada a jogar jogos será obrigada a ficar de pé à chuva e depois será EXPULSA.

viii) PROIBIDO trazer chocolate para as instalações escolares. Todos os chocolates serão pessoalmente confiscados por mim. Encarregar-me-ei de destruir o chocolate, comendo-o. Qualquer pessoa que se recuse a entregar-me o seu chocolate NÃO será EXPULSA: será segurada de pernas para o ar, pelos tornozelos, e abanada do lado de fora de uma janela até entregar o seu chocolate. Depois de eu ter comido o dito chocolate, e apenas então, essa pessoa será EXPULSA.

ix) PROIBIDO espirrar durante as aulas. Perturba a concentração. Se sentires uma comichão dentro do nariz a avisar que "aí vem um espirro", terás de aguardar até chegares a casa e espirrar nessa altura. Qualquer pessoa que espirre na escola será EXPULSA, tal como um espirro expulsa ranho do nariz. Uma boa metáfora, já que as crianças são iguais a RANHO.

x) Estão PROIBIDAS queixas sobre a quantidade de regras que existem na escola. Os alunos que se queixem não serão EXPULSOS, pois isso seria precisamente o que eles quereriam. Em vez disso, serão reprovados todos os anos e obrigados a ficar na escola PARA SEMPRE.
Basta perguntarem ao velho Giles, que tem 92 anos e ainda é aluno da ESCOLA SEBENTA!

Ned era uma das centenas de crianças que tinham sido expulsas da escola ao longo dos anos. O diretor expulsara tantas crianças que havia **mais** professores do que crianças na escola, tal como prova este gráfico útil.

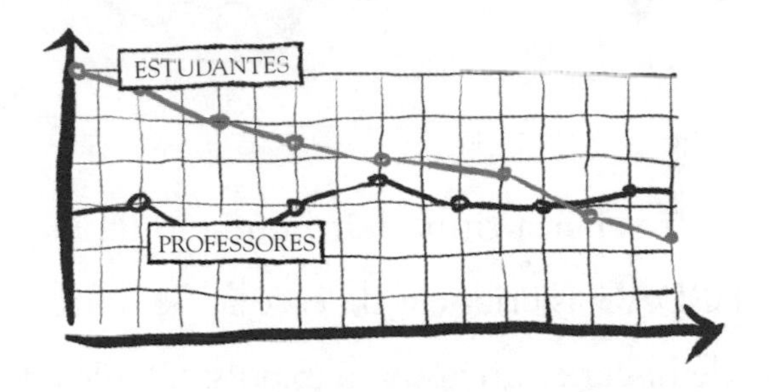

Mas agora Ned estava de volta,
e preparado para se…

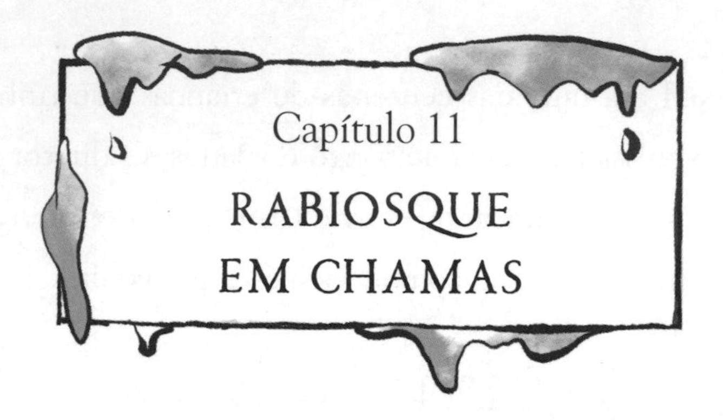

Capítulo 11
RABIOSQUE EM CHAMAS

O Diretor Fúria tinha feito questão de não expulsar TODAS as crianças da escola. Se o fizesse, um dia deixaria de haver crianças para expulsar. E ele adorava expulsar crianças da escola. Certa vez, uma criança fora expulsa no seu primeiro dia de aulas por entrar aos saltinhos para dentro dos portões da escola. Expulsar uma criança que tinha estado menos de três segundos na escola tinha sido um novo recorde para o Diretor Fúria.

E quanto a Ned, ele tinha sido expulso pelo simples crime de rir.

– AH! AH! AH!

Para sermos justos com o Diretor Fúria, o rapaz tinha rido porque, na aula de Educação Visual, quando os estavam os alunos a decorar ovos para a Páscoa, Ned pintara o seu ovo para se parecer exatamente com o Diretor Fúria. E isto foi incrivelmente divertido para ele, assim como para todos os colegas.

– AH! AH! AH! AH! AH! AH! AH! AH! AH! AH! AH! AH! AH! AH! AH! AH! AH! AH! AH! AH! AH!

– Tu aí, jovem! – gritou o diretor. – O que estás a fazer novamente na minha escola? Tu foste expulso!

– Olá novamente, senhor diretor – disse alegremente Ned.

Ele não parecia minimamente preocupado. Era impossível ser expulso quando já tinha sido expulso.

– E que diabo é esta monstruosidade que aqui trouxeste? – rugiu o diretor.

– Que homenzinho verdadeiramente horrível – murmurou Slime. – O que lhe havemos de fazer?

Ned pensou por uns momentos.

– Precisamos de dar uma lição ao diretor. Nós, as crianças, sofremos há demasiado tempo com as fúrias dele. O Diretor Fúria está sempre furioso com tudo. Por isso, vamos finalmente dar-lhe algo que o deixe mesmo, mesmo, mesmo zangado.

– Esplêndido! Deixa-me pensar então...

– TARDE DE MAIS, Ó GOSMINHA! – gritou o Diretor Fúria. – Este rapaz vai levar um castigo severo. Ouviram-me? Um castigo severo!

Dito isto, o diretor pegou na enorme régua de madeira,

que estava escondida debaixo da sua batina. Fúria precipitou-se para o rapaz, preparado para lhe bater.

ZAP! ZAP! ZAP!

Fez a régua ao cortar o ar.

O Diretor Fúria estava prestes a causar a Ned uma dor insuportável quando **Slime** se transformou num polvo gigante. Um **"slolvo"***.

Um dos braços do **slolvo** arrancou a régua da mão do professor enquanto o outro braço agarrou o tornozelo do homem.

Antes que o Diretor Fúria conseguisse gritar "ESTÁS EXPULSO", o **slolvo** levantou-o no ar.

Ned riu-se ao ver o seu antigo diretor de pernas para o ar a pairar por cima dele.

– AH! AH! AH!

– VAIS PAGAR POR ISTO, RAPAZ! – gritou o Diretor Fúria.

– Não me parece... – replicou o rapaz.

---

* *Apenas um dicionário de alta qualidade como o* **Walliamscionário** *conteria esta palavra.*

– SOLTA-O! – gritaram os professores reunidos no recreio.

– Na verdade, não me importo muito se ficares com ele… – murmurou o barbudo vice-diretor. Há muito que o Professor Cobiça cobiçava o cargo mais alto da escola.

– E agora, jovem amigo? – perguntou o **slolvo**.

– Rodopia o Diretor Fúria como ele rodopia a sua régua – replicou o rapaz.

– Com certeza.

Assim, o **slolvo** começou a rodopiar o diretor rápido, mais rápido e mais rápido ainda. Era como se o Diretor Fúria estivesse numa diversão de feira popular particularmente **vomitástica***.

* **Vomitérrima. Vomitóssima.** *Podes encontrar todas estas palavras no teu* ***Walliamscionário****, disponível em todas as más livrarias.*

– Isso, isso... AGORA! – ordenou Ned.

O **slolvo** soltou o Diretor Fúria e o homem saiu disparado pelo ar fora.

ZUM!

– AHHH! – gritou ele, subindo para lá das nuvens.

Por momentos, instalou-se um silêncio arrepiante, pois parecia que o Diretor Fúria estava a caminho do espaço.

O silêncio quebrou-se com um som de assobio. Todos os olhares no recreio perscrutaram o céu.

– ESTÁ ALI! – gritou Ned.

– Que pena – murmurou o Professor Cobiça, acariciando a barba.

Viu-se um pontinho vermelho a brilhar lá no alto, no céu da manhã. Quando o ponto começou a descer, Ned exclamou:

– É o rabiosque do Diretor Fúria que está em chamas, depois de ele reentrar na atmosfera!

Antes de te começares a queixar, deixa-me que te informe: ISTO É CIÊNCIA!

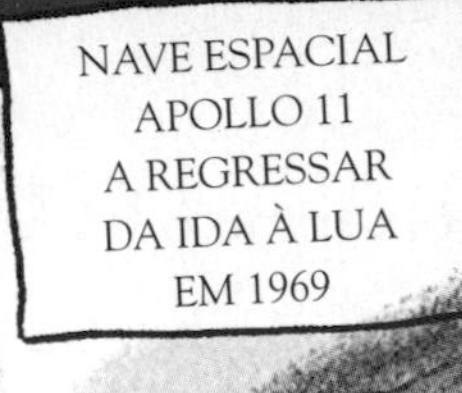

– AAAAAAAAAAAHHHHHHHHHHHH HHHHHHHHHHHHHHHHHHHH! – gritou o Diretor Fúria, enquanto caía do céu.

Felizmente para o diretor, aterrou no mar.

SPLASH!

Ouviu-se o som de algo a crepitar…

FZZ!

… à medida que a água apagava o fogo abrasador nas bochechas do rabiosque do Diretor Fúria.

Depois, o diretor gritou:

– SOCORRO! Não sei nadar!

– Não vale a pena termos pressa – observou o Professor Cobiça. – Alguém quer um chá e umas bolachinhas?

Ned acenou a **Slime**. Não podiam deixar o homem afogar-se.

O **slolvo** esticou um dos seus braços. O braço cresceu, cresceu e continuou a crescer, até finalmente chegar ao mar.

Em seguida, o **slolvo** pegou no diretor, que boiava ao sabor das ondas, e voltou a colocá-lo no recreio.

PLOP!

Todos os professores tiveram de conter o riso ao ver o diretor com um ar muito pouco digno.

– AH! AH! AH!

Fúria estava completamente encharcado e a zona do traseiro das calças tinha desaparecido. Todos podiam ver o seu **RABIOSQUE VERMELHO-VIVO** e ainda a escaldar da descida. Estava tão vermelho que parecia o traseiro de um babuíno.

Todas as crianças da escola tinham os rostos colados às janelas das salas de aula. Também elas agora se riam do diretor.

– AH! AH! AH! AH! AH! AH! AH! AH! AH! AH! AH! AH! AH! AH! AH! AH! AH! AH! AH! AH! AH! AH!

E ninguém se ria mais do que o velho Giles, o aluno de 92 anos cujo castigo era ser reprovado ano após ano. Era a pessoa que há mais tempo estava na **Escola Sebenta**. Há oitenta e sete anos, para ser preciso.

– AH! AH! AH! – O velho Giles riu-se com tanta força que a sua dentadura disparou da boca e foi bater na janela.

CLUNC!

CLUNC!

O que o fez rir ainda mais.

– AH! AH! AH!

Se o Diretor Fúria fosse um ovo, neste momento estaria frito.

– Adeus, senhor diretor! – disse sarcasticamente Ned.

O **slolvo** transformou-se num balão de ar quente (um "**slalão**"*), pegou no rapaz e começou a subir para o céu.

– A MINHA RÉGUA! – berrou Fúria.

Ouvindo o homem, o **slalão** largou a régua, que aterrou na cabeça do diretor com um

CLUNC!

---

* *Vai procurar no teu*  **Walliamscionário**, *se não acreditas.*

– AH! AH! AH! AH! AH! AH! AH! AH! AH! AH! AH! AH! AH! AH! AH! AH! AH! AH! AH! AH! AH! AH! AH! AH! AH! AH! AH! AH! AH! AH! AH! – riram-se as crianças.

– E vejam lá se voltam em breve para

acabar o servicinho, por favor!

– gritou o Professor Cobiça.

Capítulo 12

CORAÇÕES FRIOS

Ned voava pelo céu no seu balão de ar quente feito de **gosma**, quando olhou para baixo para ver a pequena ilha onde vivia.

Perto da escola encontrava-se a loja de brinquedos da ILHA SEBENTA, o BAZAR INVEJA.

BAZAR INVEJA

– VAMOS ALI! – gritou ele para **Slime**.

– AQUI VAMOS NÓS! – replicou o seu amigo.

A loja de brinquedos pertencia a dois irmãos gémeos, Isaque e Isaac Inveja. O duo vestia-se sempre de forma idêntica, com coletes e laços iguais. O penteado que usavam era demasiado jovem para os seus velhos rostos carrancudos. Ostentavam sempre uma permanente pintada de um preto tão carregado que chegava a ser azulado.

Contudo, Isaque e Isaac eram conhecidos sobretudo pela sua crueldade.

Os gémeos ODIAVAM crianças. Algumas pessoas achavam que eles eram donos de uma loja de brinquedos para poderem odiar crianças ainda mais. E tendo em conta que era a única loja de brinquedos da ilha, as crianças da ILHA SEBENTA não tinham outra alternativa senão ir lá. Se quisessem um brinquedo, tinham obrigatoriamente de ir ao BAZAR INVEJA.

Mas porque é que Isaque e Isaac odiavam tanto crianças?

Porque as invejavam.

Os gémeos eram homens amargurados por já serem velhos e acabados. Tantos anos a **rosnar**, a **resmungar** e a **rosnamungar*** um com o outro gelara-lhes os corações. Odiavam-se um ao outro quase tanto quanto odiavam crianças.

O BAZAR INVEJA não era uma loja de brinquedos normal. No meio dos carrinhos, das bonecas e dos jogos que geralmente existem nas lojas de brinquedos, os gémeos tinham acrescentado algumas surpresas especiais…

---

* *Esta palavra tem o selo de aprovação do* ***Walliamscionário****.*
É preciso mais?

Um jogo de tabuleiro de Cobras e Escadas em que não havia escadas, apenas cobras em todas as casas!

SUICH!

Um telefone de brincar que nunca, mas nunca para de tocar e te leva à LOUCURA!

TRIM! TRIM! TRIM! TRIM!
TRIM! TRIM! TRIM! TRIM!
TRIM! TRIM! TRIM! TRIM!
TRIM! TRIM! TRIM! TRIM!

Um cavalo de baloiço com um motor escondido lá dentro. Baloiça tão depressa que faz disparar o cavaleiro que o tente montar.

SUICH!

TUMP!

Um bebé boneca que não só chora, como também faz xixi E cocó! BLHEC!

Uma versão única do jogo de tabuleiro *Operação*. Quando tocas nos lados, não acende uma luz e faz BZZ, como o original – este dá mesmo choques elétricos. E são choques tão fortes que te atiram para o lado oposto da sala e te podem deixar a precisar de uma operação a sério.

Um *puzzle* de 999 999 peças. A caixa diz "Puzzle de 1 Milhão de Peças", mas os terríveis gémeos tinham retirado uma peça. Quando finalmente se chega ao fim do *puzzle* – após 10 anos a montá-lo –, não é possível terminá-lo!

Um triciclo ao qual tinham tirado o assento, substituindo-o por um garfo. Sempre que alguém se senta no triciclo fica com uma dor **AITÁSTICA*** no rabiosque.

Estes eram os brinquedos perfeitos para aterrorizar as crianças.

E agora Ned estava determinado a vingar-se destes

gémeos.

Uma palavra verdadeira que encontrarás facilmente no livro de referência mais fiável do mundo, que não precisa de apresentações. Senhoras e senhores, meninos e meninas, apresento-vos o* ***Walliamscionário* *– a minha prenda para o mundo.*

Capítulo 13

ROBÔ DE BRINCAR

Algum tempo antes, Ned apaixonara-se por um brinquedo muito especial do BAZAR INVEJA. Era um brinquedo que os seus pais nunca teriam dinheiro para comprar. A mãe e o pai de Ned eram pessoas humildes e trabalhavam desde o raiar do dia ao cair da noite só para conseguirem dar de comer aos filhos.

O brinquedo era um robô de brincar feito de metal que emitia luzes e *zunidos*, tal como um robô automático deve ser. O rapaz tinha-o visto na montra da loja dos gémeos e todos os dias, quando fazia o caminho de casa para a escola, parava na montra para olhar para ele.

Era perfeito.

Ned sabia que este robô seria muito mais do que um simples brinquedo – seria um amigo. O rapaz e o seu robô embarcariam juntos em aventuras. Voariam em naves espaciais, lutariam contra exércitos de extraterrestres, visitariam planetas distantes, e mesmo assim chegariam a casa à hora do jantar.

Enquanto Ned sonhava acordado a olhar para o robô, Isaque e Isaac espiavam-no do outro lado da montra e saíam esbaforidos de dentro da loja.

– VAI-TE EMBORA, RAPAZ! – gritava Isaque.

– CRIANÇA MALVADA! – concordava Isaac.

– Estava só a ver! – protestava Ned.

– PARA DE GASTAR OS NOSSOS PRECIOSOS BRINQUEDOS COM O TEU OLHAR!

– Se não vais comprar o brinquedo, então, XÔ, SAI DAQUI PARA FORA!

– NUNCA MAIS CÁ VOLTES!

Depois, o horrível duo voltava para dentro da loja e fechava a porta com força.

PRÁS!

A porta tinha um cartaz afixado, no qual se lia:

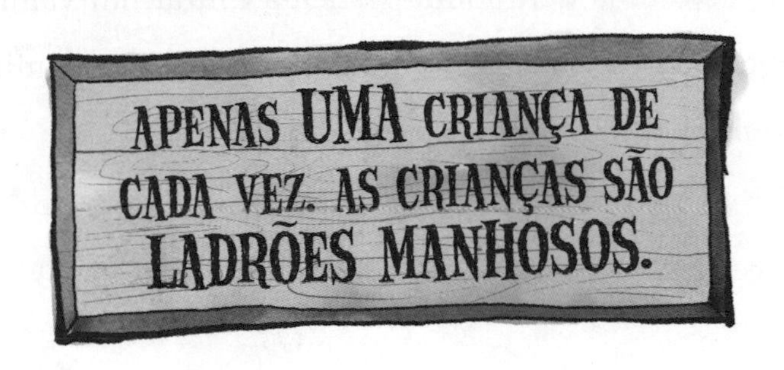

Passaram-se semanas, meses e anos. Até que, por fim, Ned amealhara dinheiro suficiente da sua mesada para comprar o robô, por isso, certo sábado de manhã entrou na loja.

PLIM! Fez o sino na porta.

Estranhamente, a loja estava completamente vazia.

– Bom dia! – disse Ned. – Está aqui alguém?

Mas não houve resposta.

A medo, o rapaz tirou o robô da montra e levou-o até ao balcão para poder pagar. Ainda assim, continuava sem ver ninguém.

Foi então que…

– BUU!

Os gémeos deram um salto por detrás do balcão. Isaac tinha posto uma dentadura postiça a imitar um vampiro. E Isaque colocara umas garras afiadas nos dedos e imitava um lobisomem.

Os gémeos adoravam assustar as crianças.

Ned assustou-se e a sua cadeira de rodas andou para trás.

TUMP!

– Porque fizeram isso? – balbuciou ele.

– Feliz Dia das Bruxas! – replicaram alegremente os gémeos.

Ned pensou por uns momentos.

– O Dia das Bruxas é só daqui a seis meses.

– No BAZAR INVEJA é Dia das Bruxas todos os dias – disse Isaac.

– Não precisamos de um dia especial para assustar crianças – concordou Isaque.

Os gémeos olharam para o robô que o rapaz tinha nas mãos.

– Com que então, finalmente poupaste os teus troquinhos preciosos? – observou Isaac, com um ar de pena espelhado no rosto.

– Sim! – replicou o rapaz, tirando o porquinho mealheiro que estava encaixado na sua velha cadeira de rodas.

O porquinho mealheiro estava realmente cheio de troquinhos, eram só moedas de cêntimo. Ned recebia um cêntimo de semanada – era tudo o que os pais lhe podiam dar. Mas o rapaz poupara, poupara e continuara a poupar. Na noite anterior, Ned contara todos os seus cêntimos e percebera, com grande alegria, que tinha a quantia exata para comprar o robô.

Os gémeos arrancaram-lhe o porquinho mealheiro das mãos e despejaram as moedas em cima do balcão.

PLIM! PLIM! PLIM!

O par terrível ficou irritado ao perceber que teria de contar cada um dos cêntimos. Devia haver centenas e centenas de moedas.

A seguir, Ned reparou que Isaque sussurrava algo ao ouvido de Isaac, e depois notou que ambos sorriam.

– Vou buscar um saco – ronronou Isaac.

– Sim, faz isso, Isaque – replicou Isaque.

– Não, tu é que és o Isaque.

– Sou? – perguntou Isaque.

– Sim. Eu sou o Isaac.

– Tens a certeza.

– Tenho.

– Pensava que era ao contrário.

– Não. De certeza que não.

– Ah – disse Isaque. O gémeo estava extremamente confuso. – Pronto, então faz lá isso, Isaac.

– Obrigado, Isaac – replicou Isaac, percebendo o seu erro. – DUH! Agora puseste-me confuso!

O rapaz observava a conversa, incrédulo. Os gémeos Inveja eram **LOUCOS!**

Isaac afastou-se pé ante pé e Isaque começou a contar as moedas no balcão.

– *Um cêntimo, dois cêntimos, três cêntimos...*

Ned olhou para o robô, segurando-o cuidadosamente. Este brinquedo incrível, que há tantos anos cobiçava, seria finalmente seu.

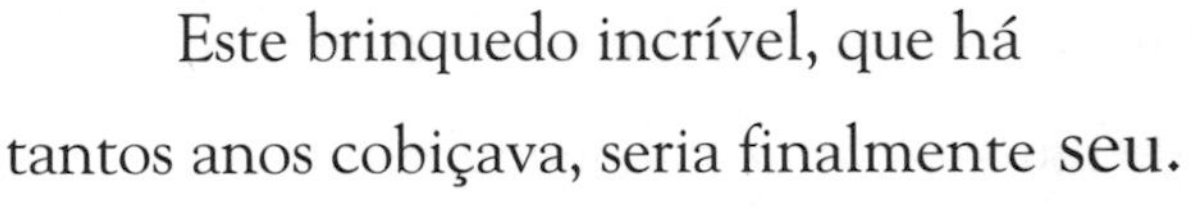

– *Quatro cêntimos, cinco cêntimos, seis cêntimos...*

Deu-se uma explosão ensurdecedora mesmo ao lado do ouvido do rapaz. **HORROR** dos **HORRORES!** Ned deixou cair o robô ao chão.

CLANC!

O robô desfez-se em pedacinhos.

PRÁS!

Com lágrimas nos olhos, Ned inclinou-se da cadeira de rodas para os apanhar. Mas não adiantava... o robô estava destruído.

Ainda assim, Isaque continuava a contar.

– *Sete cêntimos, oito cêntimos, nove cêntimos...*

Ainda curvado a apanhar as peças, o rapaz sentiu alguém a assomar atrás de si. Era Isaac. O gémeo tinha na mão os restos de um saco de papel que rebentara.

– Ups! – observou Isaac.

– Podes crer – concordou Isaque.

– Esse raquítico malvado partiu o NOSSO brinquedo.

– Todas as crianças são **MÁS.**

– Especialmente este pequeno **VÂNDALO!**

– Todos os objetos partidos têm de ser pagos **POR INTEIRO!**

– MAS... MAS... MAS... – suplicou Ned. – A culpa não foi minha!

– Ah, SIM, foi!

– O senhor assustou-me!

– Assustei-te? – perguntou Isaac, a fingir-se de desentendido.

– Não ouvi nada – mentiu Isaque.

– Vou-me embora! – anunciou Ned.

O rapaz tentou apanhar os cêntimos espalhados pelo balcão, mas Isaque recolheu-os mesmo a tempo.

PLIM! PLIM! PLIM!

– Essas moedas são minhas! – suplicou o rapaz.

– Não ouviste o que disse?! – rosnou Isaac.

– Todos os objetos partidos têm de ser pagos **POR INTEIRO!** – repetiu Isaque.

– MAS…

– Não há mas, nem meio mas, rapaz. Vá, VAI-TE EMBORA!

Triste, o rapaz virou a cadeira de rodas e saiu do BAZAR INVEJA.

Chegou à porta, olhou para trás e viu os gémeos maléficos a desatarem às gargalhadas.

– AH! AH! AH!

– CAIU QUE NEM UM PATINHO!

– QUE NEM UM PATINHO!

Na altura, Ned sentira-se impotente e incapaz de reagir. Mas hoje ele tinha forma de

corrigir este mal,

assim como tantos outros.

O balão de ar quente feito de gosma aterrou no telhado coberto de orvalho do BAZAR INVEJA.

PLOP!

PLIM!

O sino da porta da loja de brinquedos tocou e a porta abriu-se. Sentado no telhado, Ned viu a cabeça de uma menina a correr para fora da loja. A criança de cabelos encaracolados estava lavada em lágrimas, agarrada a uma boneca sem cabeça.

– BUÁ! BUÁ! BUÁ! – chorava ela.

Uma telha soltou-se do telhado e caiu ao chão.

CRAC!

A menina de cabelo encaracolado olhou para cima.

– Ned?

– Chiu! – mandou calar Ned.

A menina limpou os olhos, acenou e desatou a correr para casa. Ao desaparecer de vista, os gémeos Inveja apareceram à porta da loja.

– AH! AH! AH! – riram-se eles.

– Mais um cliente satisfeito, Isaque – disse alegremente um dos gémeos.

– Não, já falamos um milhão de vezes nisto! – rosnou o outro. – Tu és o Isaque!

– Sou?

– Sim!

– Então, quem é o Isaac?

– Eu!

– Tens a certeza?

– Volta para dentro da loja, Isaque!

– Quem?

– TU!

Dito isto, os gémeos apressaram-se a entrar na loja. Ambos tentaram passar a porta ao mesmo tempo e ficaram momentaneamente presos.

PLIM!

Ainda escondido no telhado, o rapaz sussurrou ao seu amigo:

– Quando me ouvires a gritar **"SLIME"**, quero que desças pela chaminé abaixo.

– Slime? – perguntou **Slime**, que se transformara novamente numa bolha.

– Sim, **Slime**.

– Vou agora?

– Não! Quando eu disser **"Slime"**.

– Mas acabaste de o dizer.

– Quando disser da próxima vez.

– Disseres o quê?

– "Slime"!

– VOU AGORA?

– NÃO! E fala baixo... eles podem ouvir-nos! – murmurou Ned.

– Espera pela palavra mágica.

– Também há uma palavra mágica? – **Slime** começava a ficar muito confuso.

– Não! Não! Não! "**Slime**" é a palavra mágica.

– Acabaste de a dizer!

– Da próxima vez que disser a palavra.

– Da próxima vez que disseres "a palavra"?

– Estás a ficar mesmo chato, **Slime!** Põe-me lá em baixo!

Slime transformou-se num poste e o rapaz deslizou para o chão. Depois, parte do poste separou-se, transformando-se numa enorme motorizada para Ned.

Uma motorizada feita de slime.

Uma **"slimorizada"***.

PLIM!

Com um sorriso convencido espelhado no rosto, Ned disparou a alta velocidade para dentro do BAZAR INVEJA.

---

* *Walliamscionário*. PUMBA!

VRUM!

Uma vez mais, a loja parecia estar vazia.

– Está aí alguém? – disse o rapaz. – Olá?

Fez-se silêncio e depois...

– BUU!

Isaque e Isaac saltaram por detrás do balcão. Isaque tinha uma seta de plástico espetada na cabeça e Isaac brandia um machado de brincar.

– Ah! Mas que grande susto! – disse o rapaz, num tom sarcástico. Ned sentia-se bastante fixe sentado em cima da motorizada.

Os gémeos maléficos pareceram ficar muito irritados.

– Não esperávamos que voltasses – observou Isaque.

– Pois bem, rapazes, aqui estou eu! – replicou Ned, desafiante.

– Que motorizada de ar nojento! – disse Isaac, num tom desdenhoso.

– É um monstro – disse Ned, carregando a fundo no pedal.

VRUM! VRUM! VRUM!

– É esquisita, é o que é – disse Isaac.

WOW

– E não é esquisita do tipo misterioso e tal, é mesmo esquisita horrível – concordou Isaque.

– Queremos essa coisa fora da nossa loja! JÁ!

– E se vieste pedir um reembolso pelo robô que partiste em pedacinhos, podes tirar o cavalinho da chuva!

– Não, não, não – replicou Ned. – Não vim por causa disso. Só tinha curiosidade em saber se têm um determinado brinquedo...

– Um brinquedo? Um brinquedo?! – balbuciou Isaque. – Isto é o BAZAR INVEJA, de Isaque e Isaac Inveja, a melhor loja de brinquedos de toda a ilha.

– É a única loja de brinquedos da ILHA – observou Ned.

– E continua a ser a melhor! – acrescentou Isaac.

– O que procuras tu, rapaz? – perguntou Isaque.

– Uma bola saltitona que nunca, mas nunca para de saltar? – sugeriu Isaac, tirando uma de detrás do balcão e atirando-a contra o chão.

BÓIM! BÓIM! BÓIM! BÓIM! BÓIM! BÓIM! BÓIM!

BÓIM! BÓIM! BÓIM! BÓIM! BÓIM! BÓIM! BÓIM! BÓIM! BÓIM! BÓIM!

BÓIM! BÓIM! BÓIM! BÓIM! BÓIM! BÓIM! BÓIM! BÓIM! BÓIM! BÓIM!

BÓIM! BÓIM! BÓIM! BÓIM! BÓIM! BÓIM! BÓIM! BÓIM! BÓIM! BÓIM!

BÓIM! BÓIM! BÓIM! BÓIM! BÓIM! BÓIM! BÓIM! BÓIM! BÓIM! BÓIM!

BÓIM! BÓIM! BÓIM! BÓIM! BÓIM! BÓIM! BÓIM! BÓIM! BÓIM! BÓIM!

BÓIM! BÓIM! BÓIM! BÓIM! BÓIM! BÓIM! BÓIM! BÓIM! BÓIM! BÓIM!

– Um patinho de borracha explosivo? – ofereceu o irmão gémeo. – É perfeito para um banho mortífero. – O homem ligou o temporizador no patinho, correu para a porta e atirou-o para a rua.

CAPUM!

A montra ficou coberta com um líquido branco espesso.

PLOC! PLOP! PLOC!

A carrinha do leiteiro, que estava a fazer as rondas da manhã, tinha explodido. O leiteiro regressou com a grade vazia, perplexo.

– Um jogo Scrabble sem vogais? – disse Isaac, mostrando a sua própria versão do jogo.

– Ou consoantes!

Os gémeos maléficos riram-se só de pensar nisso.

– AH! AH! AH!

O rapaz limitou-se a abanar a cabeça e sorriu. Não tinha pressa. Na verdade, estava determinado em saborear este momento.

– Uma tarântula gigante fofinha? – ronronou Isaac.

– Que até morde e lança veneno verdadeiro! – acrescentou Isaque.

B L H E C !

– Um canhão que atira batatas? – anunciou Isaac, disparando o canhão.

PUM!

A batata atravessou a montra, partindo-a.

CRAC!

Isaque deu um tabefe na nuca de Isaac.

PRÁS!

– AI!

– Um balão que enchemos com os nossos gases flatulentos mortíferos? – continuou Isaque, soltando algum do ar pútrido do balão.

PFFFF!

– BLHEC! – exclamou Ned.

Cheirava MESMO mal!

– A versão mais recente que temos do jogo de tabuleiro Cobras e Escadas, mas desta vez com cobras VERDADEIRAS?

Os gémeos abriram a caixa. Horrorizado, Ned viu que a caixa estava repleta de centenas de cobras sibilantes!

CSSSSSSSS!

O rapaz fechou rapidamente a caixa.

– Não! – interrompeu bruscamente Ned. – Eu quero outra coisa. Algo ainda mais nojento e aterrorizante do que todos esses brinquedos que sugeriram.

Os gémeos olharam um para o outro, fazendo caretas que diziam "ainda MAIS nojento e aterrorizante?!"

– Continua, por favor, caro jovem – silvou Isaac. – Aqui, no BAZAR INVEJA, temos orgulho em vender os brinquedos mais nojentos do mundo.

– Eu sei – concordou Ned. – Todas as crianças da ilha também sabem. Mas há um brinquedo tão horripilante que até vocês ficarão estarrecidos!

– Ah! Ah! Ah! – riram-se maldosamente os gémeos.

– Nós próprios somos tão horripilantes que duvido que haja algo que nos consiga horrorizar! – exclamou Isaque.

– Bem, veremos. Isaac e Isaque Inveja… – começou por dizer o rapaz.

– Achava que nos chamávamos ambos Isaac – disse Isaque.

– CALA-TE! – silvou Isaac.

– Isaac e Isaque Inveja, do BAZAR INVEJA, quero apresentar-vos ao maravilhoso mundo do…

Ned respirou fundo e gritou:

Capítulo 15
CRIANÇAS DE GOSMA

Não aconteceu nada.

Os gémeos Inveja olharam em redor de toda loja e depois focaram os olhinhos brilhantes no rapaz.

– Porque estás a GRITAR, RAPAZ? – exigiu saber Isaac.

– Nós estamos AQUI À TUA FRENTE! – acrescentou Isaque.

Uma sensação de pânico abateu-se sobre Ned. Como a cabeça de **Slime** estava ainda no telhado, era provável que ele não tivesse ouvido.

Havia apenas uma coisa a fazer.

GRITAR MAIS ALTO!

– repetiu Ned.

Mais uma vez, nada aconteceu.

As coisas não estavam a correr como planeado.

– SLIME! – gritou novamente o rapaz.

Nada.

Népia.

N i c l e s .

Os gémeos Inveja olharam um para o outro.

– Mas por que diabo estás sempre a gritar **"SLIME"**? – perguntou Isaac.

– Porque se disser suficientemente alto, ele aparece, como por magia.

– Ah!

– Ah!

– Ah, pois é – concordou Ned. – Vamos tentar todos juntos. Quando disser três! Um, dois, três...

Mas antes que conseguissem gritar **"SLIME"**, **SLIME** apareceu! Disparou pela chaminé abaixo e começou a fluir pela lareira por todo o BAZAR INVEJA!

– Desculpa o atraso! – disse **Slime**. – Estava na casinha!

Ned ficou confuso. O rapaz não fazia ideia de que **Slime** tinha de ir à casa de banho. Como seriam as necessidades dele? Mais **slime?** Não havia tempo para pensar nisso, já que a loja tinha ficado coberta de **slime**.

GLU! GLU! SPASH!

– NÃOOOO! – gritaram os gémeos, e agora era a vez de Ned se rir.

– AH! AH! AH!

Os dois homens tinham gosma até aos joelhos. **Slime** pegou no rapaz e colocou-o em cima do balcão.

– RUA! – berrou Isaac a **Slime**.

– XÔ DAQUI! – gritou Isaque.

– VAI-TE EMBORA! – bradaram ambos, mas o nível de gosma continuava a subir.

GLUU! GLUU! SPAAAAASH!

– E agora, **Slime...** – começou por dizer Ned.

– Sim, Ned – replicou **Slime**, a gosma a subir até ao nível do pescoço dos homens.

– Quero que te **trans-slimes** numa dúzia de criancinhas!

– O QUÊ?! – exclamaram os gémeos Inveja.

– Achas que uma dúzia chega...? – perguntou **Slime**, com ar maroto.

– É melhor um número redondo, tipo 100! – replicou o rapaz.

– NÃÃÃOOOOOOOOO! – gritaram os gémeos.

Mas não havia nada que pudessem fazer.

Em segundos, **Slime** começou a dividir-se numa centena de bolhas. As bolhas transformaram-se em crianças. Rapidamente havia o que parecia ser um gigantesco exército de crianças de gosma!

– CRIANÇAS! – gritou Isaac. – CRIANÇAS! CRIANÇAS POR TODA A PARTE!

– Pronto, meninos – gritou Ned –, estejam à vontade para brincar com o que quiserem na loja!

– NÃÃÃOOOOO! – bradou Isaque.

Mas não havia nada que os fosse parar.

Crianças de todos os tamanhos, formas e cores começaram a tirar brinquedos das prateleiras, até o BAZAR INVEJA ficar completamente vazio. Os gémeos Inveja tentavam impedir as crianças de levar brinquedos, arrancando-os das mãos delas.

Mas logo outra criancinha de gosma aparecia por detrás de um deles e dava-lhe um tabefe na cabeça com um brinquedo!

TRÁS!

– AIII!

A criança maior correu para trás do balcão e

Ned subiu para os ombros dela.

PLOP!

– VAMOS EMBORA! – ordenou Ned.

Todas as outras criancinhas de gosma correram atrás dele, carregando orgulhosamente os brinquedos.

O rumor de que algo se passava no BAZAR INVEJA já devia ter corrido pela ilha. A menina de cabelos encaracolados voltara, desta vez com amigos.

Havia crianças de toda a ILHA SEBENTA à espera na porta da loja. As criancinhas de gosma deram um brinquedo a cada uma das crianças verdadeiras.

– Obrigado, Ned!

– És o maior!

– Isto é mesmo fixe!

– É bem feita para os gémeos!

– Uau! Boa! – gritaram as crianças, enquanto fugiam com os despojos.

Dentro da loja, Isaac e Isaque eram agora homens destruídos. Deixaram-se cair de joelhos e desataram a chorar, em desespero.

– BUUUUUUUÁÁÁÁÁÁÁÁÁÁÁÁÁÁ!

Ned abriu a porta lentamente e depois gritou pela frincha:

– BUUU!

– AHHHHH!

– gritaram os gémeos.

Capítulo 16

UM TOM DE VERDE PERFEITO

Do alto do céu, o parque da ilha começava a aparecer. **Slime** tinha-se **trans-slimado** num pterodáctilo, o réptil voador que governara os céus milhões de anos antes.

Ned seguia montado nas suas costas, com um riso convencidástico* espelhado no rosto.

Ver um pterodáctilo a escurecer os céus provavelmente teria sido uma visão assustadora para quem estivesse no parque. Não que alguma vez tivesse havido pessoas a frequentar o parque da ILHA SEBENTA. O guarda do parque proibia a entrada de toda a gente.

A Tia Avelina Avarenta designara o velho Capitão Brioso como guarda do parque da ilha. O homem tinha tanto orgulho no seu reino, ou **"reinarque"****, que ninguém tinha permissão para lá entrar.

PROIBIDO PISAR A RELVA é uma placa que talvez possas ver num parque.

PROIBIDO PISAR O CAMINHO é menos provável veres.

PROIBIDO ENTRAR NO PARQUE é uma placa que nunca verás num parque.

---

* *Esta palavra está no **Walliamscionário**, por isso, não duvides que existe. De quantas mais provas precisas?*

** *Admito que acabei de inventar esta palavra. É uma palavra a acrescentar ao volume dois do fantasticamente estupendo **Walliamscionário**, que já tem mais de 1 milhão de páginas.*

Não havia dúvidas de que o guarda do parque mantinha um parque absolutamente perfeito, o mais perfeito não só da ilha, mas de todo o mundo.

A relva tinha um tom de verde perfeito. Não era acastanhado nem amarelado. Era simplesmente verde. Se uma única folha de relva tivesse o mínimo de descoloração, o Capitão Brioso *pendurava-se* por cima da relva com o seu especialíssimo Guindaste Brioso. Era um dispositivo que o próprio Capitão Brioso, ex-membro da Guarda da Rainha, tinha inventado. Consistia num guincho, um arnês e um conjunto de cordas e roldanas. O Guindaste Brioso permitia que o capitão se *pendurasse* sobre a relva sem lhe tocar.

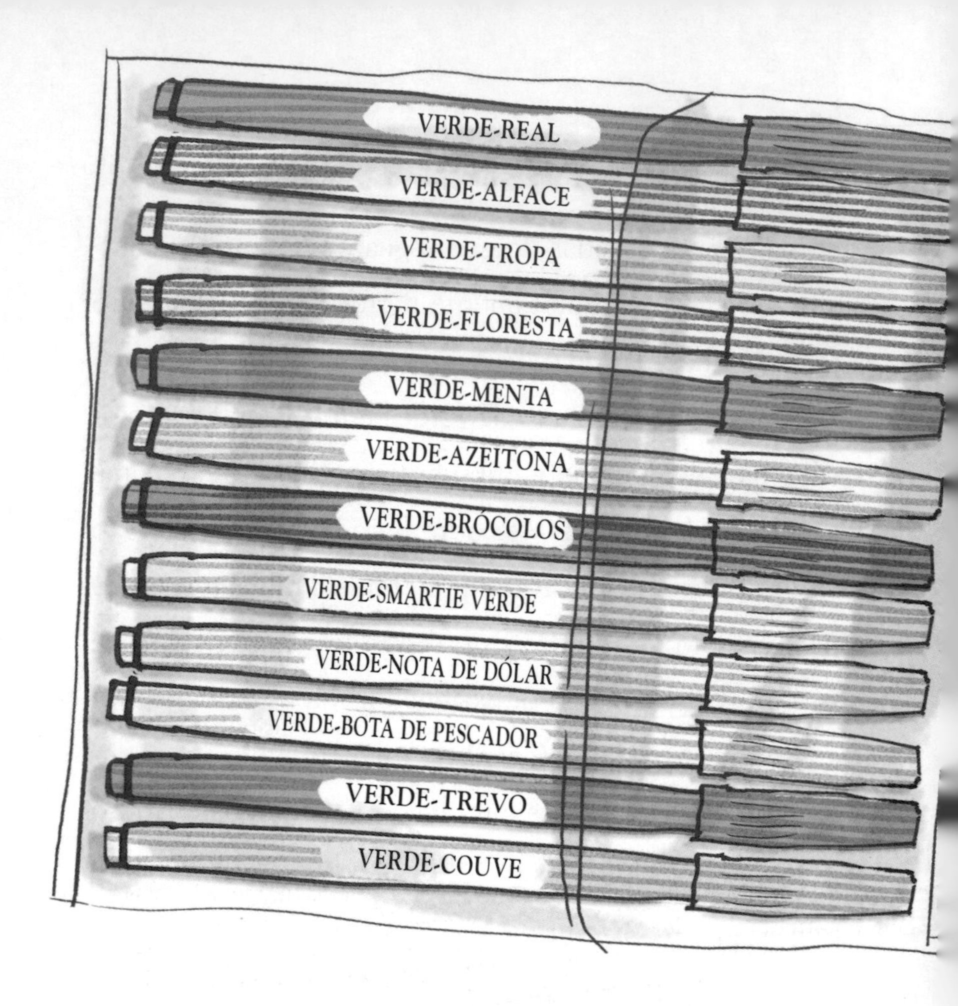

Depois, o capitão agarrava na sua coleção de 24 canetas de feltro verdes (com todos os tons de verde imagináveis, mas apenas dessa cor).

A seguir, pendurava-se sobre a relva e pintava a folha de relva desbotada para ficar exatamente igual às outras. Era isto mesmo que o guarda estava a fazer quando ouviu o bater de asas pré-históricas sobre si.

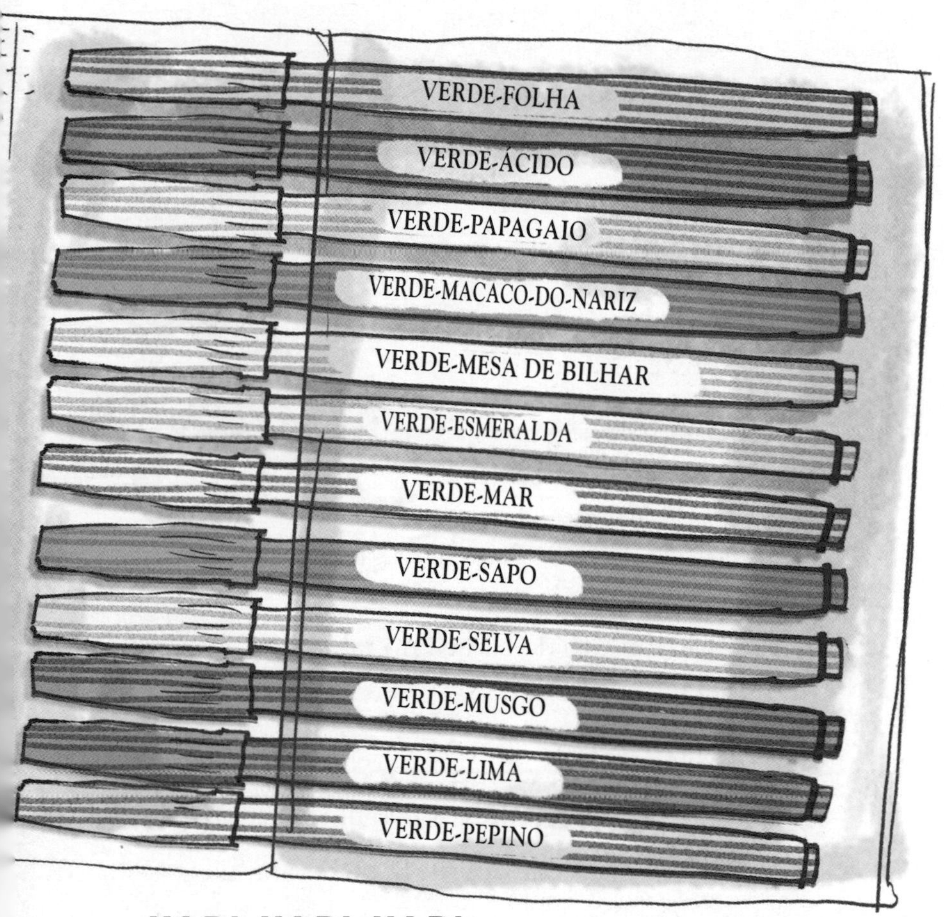

VAP! VAP! VAP!

De todas as coisas que o guarda esperava ver nesse dia, um réptil voador não era uma delas.

Nos seus tempos do exército, o Capitão Brioso vira muitas coisas aterrorizantes quando estivera destacado na selva.

Ele tinha...

... acordado um dia com um pitão a comer-lhe o pé enquanto ele dormia.

– AHHH!

– *CSSSS!*

... levado um tiro de bazuca no rabiosque.

PUM!

– MAMMA MIA!

... atravessado um rio sobre pedras, descobrindo que eram, na verdade, jacarés.

NHAC!

NHAC!

NHAC!

... encontrado um bando de gorilas que decidiu perseguí-lo e dar-lhe beijinhos.

– MUÁ! MUÁ! MUÁ!

– BLHEC! BLHEC! BLHEC!

... sido apanhado numa debandada de elefantes...

PUM! PUM! PUM!

... e depois andara espalmado como uma panqueca durante semanas.

... começado a fazer a barba ao espelho, reparando depois, ao ver melhor, que não era uma barba. Ai, não, não. Era uma enorme **lagartixa** que se alojara no seu rosto.

– NÃÃOOOOO!

… puxado o que pensava ser uma corrente de sanita para descobrir que era, na verdade, a cauda de um tigre.

GRRRRR!

… vestido as suas cuecas e descoberto que estavam repletas de baratas.

NHAC! NHAC! NHAC!

… ficado frente a frente com um hipopótamo esfomeado. A criatura arrotou com tanta força que ele voou pelo ar.

– BURP!

TUMP!

… e, o mais assustador de tudo, tinha aberto a porta da tenda dos banhos e visto o velho major a tomar banho!

Mas o Capitão Brioso nunca, mas nunca tinha alguma vez visto um pterodáctilo (o que era compreensível, já que estavam extintos há milhões de anos), muito menos um pterodáctilo feito de gosma com um rapaz às costas.

– MAS QUE RAIO? – gritou ele.

Com o choque, deixou cair ao chão o conjunto de 24 canetas de feltro verdes.

P L O P !

Ao tentar apanhar as preciosas canetas, o homem largou acidentalmente o manípulo do Guindaste Brioso.

PLOC!

A corda correu pelo aparelho.

ZUM!

E quando se deu conta, o capitão estava pendurado no ar pelos tornozelos.

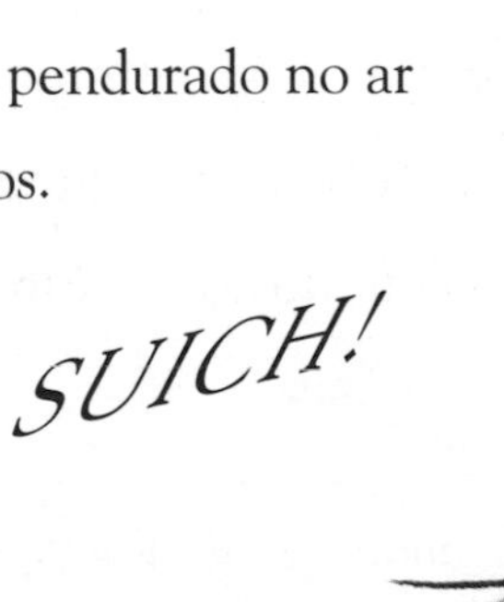

Depois, começou a baloiçar para trás e para a frente de uma forma bastante humilhante para um homem com formação militar.

SUICH! SUICH! SUICH! SUICH!

A sua cabeça embateu contra uma árvore.

O seu rabiosque raspou contra uma roseira.

ZUM!

E depois, horror dos horrores, o pterodáctilo de slime (ou **"SLIMODÁCTILO"***) pousou as suas patas possantes no relvado do parque – espetando as gigantescas garras na relva!

---

* *Esta palavra tem o selo de aprovação do* **Walliamscionário**.

– NÃÃOOOOOOOOOOO! – gritou o Capitão Brioso, baloiçando-se com toda a força para se soltar do guindaste.

SUICH!

E conseguiu fazê-lo, apesar de ter aterrado de cabeça numa sebe.

TUMP!

– AI! Não sabes ler, seu... dinossauro? – gritou o Capitão Brioso, sacudindo bocadinhos de sebe do seu casaco e alisando o bigode.

O pterodáctilo **trans-slimou-se** novamente numa bolha. Ned deslizou das costas do amigo para um banco de jardim que nunca, mas nunca tivera um rabisque sentado nele. E assim era porque havia uma placa na qual se lia:

– Que diabo é esta coisa, rapaz? – exigiu saber o capitão.

– É o meu amigo – replicou Ned.

– Sou o Slime! – disse **Slime**, esticando uma mão gelatinosa para cumprimentar o capitão.

O homem enrugou o nariz, enojado.

Sentado no banco, o rapaz olhou para debaixo dos seus pés, vendo a relva no seu verde perfeito.

– A relva hoje está especialmente verde, Capitão Brioso! – disse ele num tom alegre.

– Eu disse “FORA DAQUI”! Escovei essa relva ainda esta manhã! – protestou o capitão, abanando uma escova de dentes que tirara do bolso do casaco como prova.

– O senhor tem outra placa que diz "Proibido pisar o caminho" – observou **Slime**.

– SIM! – replicou o capitão.

– Bem, mas então, onde podemos nós andar? – perguntou **Slime**.

– Onde quiserem. Desde que não seja no meu parque! Agora, fora daqui!

Mas o duo não estava com vontade nenhuma de ir embora.

Os dois amigos partilharam um sorriso.

As malandrices estavam prestes

a começar!

Capítulo 17
O LIVRO DE OCORRÊNCIAS DO PARQUE

— Houve uma vez em que a minha bola de basquetebol rebolou para a relva do parque, não foi, Brioso? – anunciou Ned, do banco do parque.

– Para ti, é Capitão Brioso! – trovejou o homem.

– Não foi, Soldado Brioso? – replicou Ned, divertindo-se a irritar o orgulhoso homem.

– CAPITÃO! Eu lembro-me bem disso – disse o guarda do parque. – Todos os incidentes sérios são anotados no meu livro de ocorrências do parque. Deixa-me ver...

O homem retirou um pequeno livro vermelho com capa em couro do bolso do casaco. A capa do livro tinha as seguintes palavras inscritas em relevo:
LIVRO DE OCORRÊNCIAS DO PARQUE.

– Deixa cá ver... dia 1 de janeiro – começou por dizer Brioso, folheando as páginas. – Não foi uma entrada no novo ano feliz, pois às 7h00 em ponto um papel de rebuçado extremamente ofensivo esvoaçou para dentro do parque. A área inteira foi selada até o culpado que atirou o dito papel para o chão ter sido apanhado e multado!

Ned olhou para **Slime**, e **Slime** olhou para Ned. Ambos reviraram os olhos.

– Dia 14 de fevereiro, 9h13, um pombo fez cocó num banco de jardim que tinha sido recentemente encerado. Os pombos foram levados um por um para o barracão do parque para interrogatório, até que um deles abriu o bico.

Ned e **Slime** suspiraram face a este homenzinho ridículo.

– Ah, sim! Aqui está. Dia 3 de março! – O Capitão Brioso estava a ficar animado. – Às 11h34, uma bola de basquetebol **saltou** por cima do muro, vinda de uns campos de jogos próximos, e aterrou na relva. **Saltou** repetidamente (sete vezes, para ser preciso) até finalmente parar. Uma folha de relva foi morta, outra ficou seriamente ferida. A bola de basquetebol foi lidada com precisão militar: furada com a minha lança de apanhar lixo.

– Essa bola de basquetebol foi um presente de Natal da minha avó – disse o rapaz, num tom triste. – Ela enviou-a desde a ILHA FEDOR! E **saltou** por cima do muro acidentalmente. Porque não a atirou de volta quando lha pedi?

O bigode do capitão tremelicou.

– Eu atirei-a de volta! – protestou ele.

– Só depois de a ter furado! – replicou o rapaz.

– Mas atirei-a de volta! – O olho esquerdo do capitão começou a tremer. – Bem, quero-vos fora do meu parque. JÁ!

Ned olhou para **Slime**.

– Tudo a seu tempo. Primeiro precisamos de lhe dar umas coisas para escrevinhar aí no seu LIVRO DO PARQUE DE OCORRÊNCIAS!

– Chama-se LIVRO DE OCORRÊNCIAS DO PARQUE, não LIVRO DO PARQUE DE OCORRÊNCIAS! – corrigiu o capitão.

– **Slime!** – continuou Ned. – Acho que precisamos de fazer umas marotices!

– Boa! Boa! – concordou o amigo.

– Mil papéis de rebuçado, por favor!

– MAS QUE DIABO?! – balbuciou o Capitão Brioso.

– AGORA! – gritou o rapaz.

– PAREM! – gritou Brioso. O homenzinho conseguia falar alto, mas era demasiado tarde. **Slime trans--slimou-se** em mil papéis de rebuçado de todas as cores imagináveis. Os papéis flutuavam pelo ar, dançando ao sabor do vento. O Capitão Brioso corria às voltas a tentar apanhá-los, mas em vão.

– AH! AH! AH! – riu-se Ned. – Pronto, agora dá-nos 100 bolas de basquetebol!

De imediato, os papéis de rebuçado uniram-se e formaram bolas que **saltavam** alegremente para cima e para baixo na relva.

BOIM!

BOIM!

BOIM!

– A relva! A minha relva preciosa! É proibido pisar a relva! – gritou Brioso. Mas havia demasiadas bolas. O homem foi a correr buscar a sua pequena lança e começou a espetar as bolas, mas sempre que o fazia ficava coberto de **gosma.**

SPLASH!
SPLASH!
SPLASH!
BLHEC!
NHEC!
BLHEC!

– Ah, e não nos podemos esquecer dos pombos! – gritou umas das bolas de basquetebol de gosma que tinha a cara de **Slime**.

– Sim, claro! – concordou Ned.

Num segundo, todas as 100 bolas de basquetebol se transformaram em pombos. E não eram pombos normais. Eram pombos a fazer cocó. Pombos a fazer cocó ininterruptamente!

CUÁ! CUÁ! CUÁ!

PLOP! PLOP! PLOP!

Os pombos esvoaçavam e rodopiavam pelo ar, lançando carradas de cocó de **slime** multicolorido (*"slococó"**) por toda a parte.

* *Provavelmente, uma das palavras mais utilizadas em língua portuguesa, daí a sua inclusão no* ***Walliamscionário****.*

PLOP! PLOP! PLOP!

A relva ficou manchada.

PLOP! PLOP! PLOP!

O caminho ficou manchado.

PLOP! PLOP! PLOP!

O barracão ficou manchado.

PLOP! PLOP! PLOP!

O banco ficou manchado.

PLOP! PLOP! PLOP!

– PAREM! – rugiu Brioso.

– Ordeno-vos que PAREM!

Em nome de Avelina Avarenta!

– Uma última investida militar – ordenou Ned.

Slime percebeu o que o rapaz quis dizer e de imediato os pombos organizaram-se em formação, como se fossem uma equipa da força aérea. Dispararam a pique para cima, voltando depois para baixo em direção ao Capitão Brioso.

– PAREM! – bradou ele. – Isto é uma ordem!

Mas os pombos não pararam. Continuaram a descer.

ZUM!

O velho militar desatou a correr, mas não tinha hipótese perante os pombos de **gosma.** As aves rasaram a sua cabeça, lançando os cocós em cima dele.

PLOP! PLOP! PLOP! PLOP! PLOP! PLOP! PLOP! PLOP! PLOP! PLOP! PLOP! PLOP! PLOP! PLOP! PLOP! PLOP!

O Capitão Brioso foi atingido em cheio.

– SUAS CRIATURAS NOJENTAS! – gritou o homem. Bigode, casaco, calças, até as botas extremamente engraxadas... TODOS OS BOCADINHOS DO SEU CORPO estavam cobertos de GOSMA.

– Ups! – observou Ned. – Parece que tem aí qualquer coisita suja, Capitão Brinhoso!

Uma névoa de fúria vermelha abateu-se no rosto do guarda do parque.

– VOU APANHAR-TE, RAPAZ! – gritou ele, investindo contra Ned com a sua lança. – ÀS ARMAS! E NÃO É BRINHOSO, É BRIOSO!

Mesmo a tempo, os pombos de **gosma** desceram na direção de Ned, tiraram-no do banco de jardim e levaram-no para o ar.

– Vai ter de ficar para outro dia, Capitão Briol! – gritou ele do ar.

E com o bater de uma centena de asas gosmentas,

o rapaz desapareceu

pelo meio das nuvens.

Capítulo 18

PUM ESTRONDOSO

A Madame Silenzio Sorna era a professora de piano da ilha. É natural partir do princípio de que uma professora de piano ensina a tocar piano. Neste caso, estarias enganado.

Sorna era a professora de música mais preguiçosa de todos os tempos. A mulher fazia tudo e mais alguma coisa para evitar ensinar o que quer que fosse às crianças da ilha.

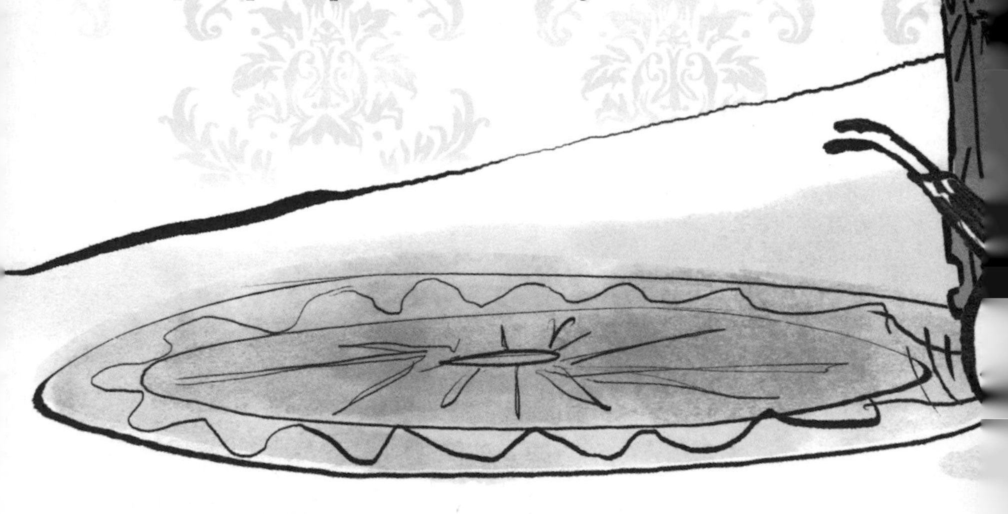

Sempre que Ned era obrigado a ir a casa da Madame Sorna para a sua aula semanal, ela não lhe dirigia uma única palavra. A mulher limitava-se a olhar para ele de modo arrogante e a estender a mão para receber o pagamento. Depois de ter recebido o dinheiro, meneava-se até ao seu velho gramofone e punha a tocar um disco que fizera de si mesma a dar uma aula de piano. Assim, se algum adulto passasse por casa dela, acharia que era isso que ela estava realmente a fazer.

Que era, na verdade, nada.

– Vamos lá, jovem, mostra mais uma vez as escalas à Madame Sorna – dizia a voz no velho disco riscado.

A seguir, começava o som de teclas de piano a serem tocadas.

Depois de criar a ilusão, a Madame Sorna fazia uma sesta de uma hora no seu sofá.

A única forma de a mulher acordar a tempo era com um dos seus **puns estrondosos.**

CAPUM!

Os puns dela eram tão trovejantes como uma ópera de Wagner.

Se os seus puns não a acordassem, o seu ornamentado relógio de mesa dourado tocava, avisando que passara uma hora e que a aula terminara.

TRIM!

Como é que Madame Sorna se safava com isto? Porque Avelina Avarenta não fazia nada acerca da situação. Na verdade, encorajava-a. Via com bons olhos tudo o que pudesse deixar as crianças infelizes.

Como Ned nunca tinha aprendido nada nos anos em que tivera "aulas de piano" com a Madame Sorna, continuava a ser mandado para lá, de modo a ter mais aulas!

Certo dia, quando a sua mãe regressava do mercado de peixe, Ned contou-lhe o que realmente acontecia durante as aulas de piano.

NADA.

NICLES.

NADA.

N É P I A .

RIEN DE RIEN.

É claro que, sendo adulta, a mãe de Ned não acreditou nele. E tal como fizera com todos os outros adultos da ilha, a Madame Sorna tinha-a enganado de tal forma que ela pensava que estava perante a professora de piano mais fantabulástica do mundo.

Além do seu esquema com o gramofone, a Madame Sorna tinha uma série de truques terríveis na manga da sua longa blusa florida.

Se uma criança se atrevesse a reclamar da escandalosa fraude, a Madame Sorna abria o tampo do piano e fechava a pequena fedelha lá dentro.

C L U N C !

Assim, podia continuar a fazer a sua sesta preciosa sem que a aborrecessem.

– DEIXE-ME SAIR!

ZZZZ! ZZZZ! ZZZZ!

Se uma criança tentasse fazer queixa dela aos pais, na aula seguinte a Madame Sorna virava o banco do piano ao contrário e obrigava-a a ficar empoleirada nas pernas do banco durante a hora toda!

– AIII!

Se uma criança tivesse a coragem de acordar a Madame Sorna de uma das suas sestas, a mulher segurava-a pelos tornozelos e obrigava-a a tocar o piano com o nariz.

– AI! AI! AI!

PLIM! PLIM! PLIM!

Certo dia, Ned não aguentou mais este disparate. A Madame Sorna estava deitada no sofá a ressonar e a dar **puns estrondosos...**

ZZZZ! ZZZZ! zzzz!

... e ele gritou:

– ACABOU! NUNCA, MAS NUNCA MAIS VENHO A UMA DAS SUAS ESTÚPIDAS AULAS DE PIANO!

Escusado será dizer que a professora de piano acordou MUITO maldisposta. Sem dizer uma única palavra, Sorna saiu da sala do piano e foi para a cozinha. Perplexo, Ned viu-a a voltar com não uma, nem duas, nem três, mas seis latas de feijões na mão. A mulher arrancou as tampas das latas, uma por uma, e **devorou** os feijões como se fosse um culturista num concurso. A sua barriga começou a fazer uns sons perturbadores, como uma caldeira prestes a explodir.

– Tenho de ir embora! – anunciou Ned.

– Só um momento – replicou a Madame Sorna.

Depois, bamboleou em direção ao rapaz. Pela maneira de andar, percebia-se que estava a apertar as bochechas. Mas não eram as bochechas de cima, eram as bochechas de baixo. Então, quando o seu traseiro estava ao lado do nariz de Ned, a mulher relaxou os músculos.

Sorna soltou o **PUM ESTRONDOSO** mais explosivo de todos os tempos.

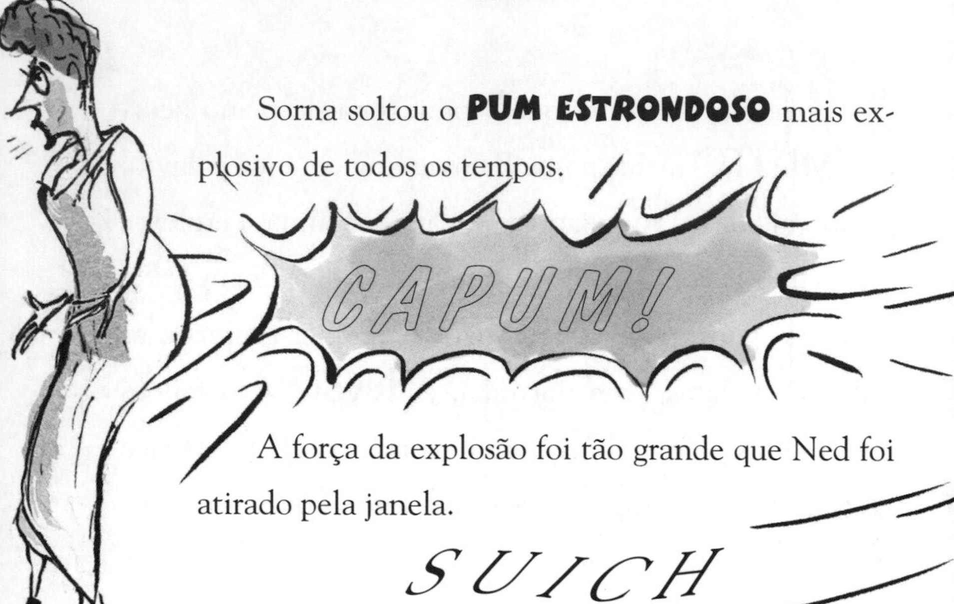

A força da explosão foi tão grande que Ned foi atirado pela janela.

SUICH

Escusado será dizer que Ned não tinha qualquer dúvida do quanto ele e todas as outras crianças da ilha tinham sofrido às mãos desta mulher monstruosa. Ele sabia que estaria a fazer-lhes um favor se ensinasse uma lição à professora.

A questão era…

como?

Capítulo 19

DANÇAR AO SOM DA MÚSICA DE SLIME

Poderá surpreender-te saber que, para alguém que dava aulas de piano, a Madame Sorna não sabia tocar piano. Não sabia tocar uma única nota. Na verdade, ela odiava o som do piano, tal como odiava o som de todos os instrumentos musicais.

O único som de que ela gostava era o SOM DO SILÊNCIO.

O silêncio queria dizer que podia dormir em paz.

Enquanto Ned e **Slime** voavam sobre a ilha, o rapaz viu o telhado da velha mansão preta e branca da Madame Sorna. Era fácil encontrar a casa, pois tinha uma piscina em forma de piano no jardim – piscina essa que certamente fora paga com os lucros duvidosos da mulher.

– É ali! – exclamou o rapaz.

A dupla desceu e aterrou no chão ao lado da casa. Espreitaram pela janela e – que SURPRESA! – viram

a professora de piano (se é que se lhe podiam chamar isso) a dormir profundamente no sofá, a ressonar muito alto.

ZZZZ! ZZZZ! ZZZZ!

Ned e **Slime** olharam em torno da sala e viram a menina que deveria estar a ter a aula de piano. A pobre coitada tinha sido obrigada a sentar-se numa das pernas do banco do piano enquanto balançava um livro de pautas de música na cabeça. Isto seria, provavelmente, mais algum tipo de castigo, sem dúvida por a menina se ter atrevido a enfrentar a professora de piano mais preguiçosa do mundo.

Os pombos pousaram Ned e **trans-slimaram-se** de novo em bolha.

A menina empoleirada no banco parecia prestes a cair para o lado. Tinha o rosto vermelho como um tomate e suava em bica. Devia estar ali equilibrada que nem um flamingo há quase uma hora.

Com um aceno de cabeça, Ned fez sinal à menina para fugir.

– Tens a certeza? – perguntou a menina, só mexendo os lábios e sem emitir um som. Era visível o seu terror perante a mulher deitada no sofá.

Ned acenou novamente com a cabeça.

A medo, a menina pousou a outra perna no chão e respirou fundo, aliviada.

– Obrigada! – murmurou ela, saindo da sala pé ante pé.

Slime deslizou por baixo dos pés do rapaz e encheu-se como uma bola, de forma que Ned ficasse com a altura ideal para entrar pela janela aberta da Madame Sorna.

O rapaz deslizou para dentro da sala, aterrando no banco de piano. A **bola de slime** entrou a seguir. A princípio, estava demasiado grande para caber.

PLOC! PLOC! PLOC!

Depois, **Slime** fez-se ficar magro e deslizou para o interior da sala.

SPLOSH!

– Chiu! – mandou calar Ned. – Não quero acordar a Sorna. Ainda não!

Qual é a melhor forma de acordar alguém que adora silêncio?

Com o som mais alto do mundo, é claro!

– **Slime!** – começou por dizer Ned, ofegante. A ideia dele era tão boa que quase nem a conseguia dizer.

– Sim? – replicou **Slime**, voltando a transformar-se numa bolha, já dentro da sala de piano.

– Preciso que te transformes na maior orquestra do mundo.

- BOA! BOA!

– E quero que faças o barulho mais barulhento que alguma vez... – Ned não sabia bem qual era a palavra, por isso disse: – ... **EMBARULHOU.***

Era a vingança perfeita para o **pum estrondoso** e explosivo de Sorna.

---

* *É uma palavra que certamente encontrarás no livro mais importante alguma vez editado – o* ***Walliamscionário***.

Em segundos, a bolha dividiu-se numa centena de bolhas mais pequenas. Estas bolhas pequenas, mais pequenas do que **glóbulos**, são chamadas **"glóbetes"***. As **glóbetes** começaram a ganhar forma, uma por uma.

As **glóbetes trans-slimaram-se** em instrumentos musicais e fizeram-no mais depressa do que Ned conseguia dizer os respetivos nomes.

Uma tuba!

Uma trompa!

Um violino!

Um trompete!

Um contrabaixo!

Uma harpa!

---

* *Consulta o teu **Walliamscionário**. Se ainda não tens, vai comprar um hoje. E não compres só um – compra 100!*

Um par de címbalos!

Um xilofone!

Um tambor!

E por último,

mas não menos importante,

um **gongo gigante!**

A Madame Sorna continuava alheia a tudo isto, ressonando no sofá.

ZZZZ! ZZZZ! ZZZZ!

– Vá, orquestra – começou por dizer Ned –, coloquem-se à volta dela e eu serei o maestro!

Quando todos os instrumentos da orquestra tinham tomado as suas posições (o mais próximo possível da professora de piano), Ned assumiu o papel de maestro. Pegou numa banana de uma taça na mesinha de café para usar como batuta. O rapaz tinha visto uma vez um maestro na televisão, por isso sabia mais ou menos o que fazer.

Bateu levemente com a banana na mesa para conseguir a atenção dos instrumentos gosmentos.

TOC! TOC! TOC!

Ainda assim, a Madame Sorna continuava a ressonar e a dar puns.

ZZZZ! ZZZZ! ZZZZ!

PFF! PFF! PFFFFFFF!

Os **puns estrondosos** dela eram tão pútridos que faziam descolar o papel de parede. Todos os instrumentos da orquestra de **slime** (ou "slimequestra"*) se voltaram para o maestro. Ned acenou e agitou a banana no ar.

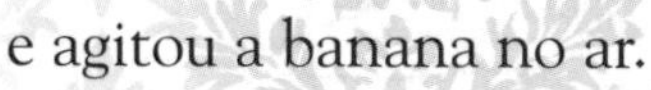

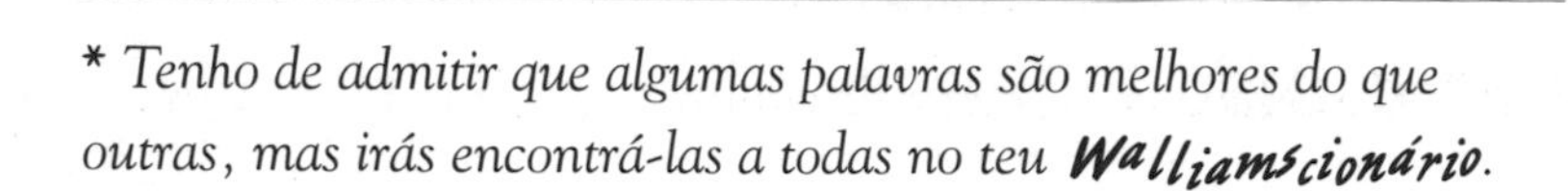

* *Tenho de admitir que algumas palavras são melhores do que outras, mas irás encontrá-las a todas no teu* ***Walliamscionário***.

O barulho mais barulhento que alguma vez **EMBARULHOU** trovejou pela sala.

Uma Sorna em choque saltou disparada do sofá a uma velocidade estonteante.

A mulher atravessou o teto da sala do piano.

PRÁS!

Irrompeu pelo seu quarto luxuoso no piso de cima.

PRÁS!

E por fim atravessou o telhado da casa.

PRÁS!

– AHHHH! – gritou Sorna, voando pelo ar.

Sentado no banco do piano, Ned olhou para o buraco no telhado.

O rapaz sorriu para si mesmo, lembrando-se de algo que aprendera.

Algo importante.

A Lei da Gravitação Universal, de Isaac Newton.

Resumindo: tudo o que sobe, desce.

– AHHHH! – gritou novamente Sorna, não porque fizesse o que quer que fosse, mas parecia a coisa apropriada a fazer.

A senhora caía a pique em direção ao pequeno Ned. Se o rapaz não fizesse nada rapidamente, em breve não passaria de **gosma** humana.

– SOCORROOOOOO! – gritou Ned. Agora também ele gritava.

– PEGA NO PIANO!

Pensando rapidamente, **Slime trans-slimou-se** de volta numa bolha e agarrou nas pernas do piano da

Madame Sorna com os seus braços gosmentos. Puxou o instrumento para que ficasse debaixo do buraco no telhado, afastando Ned do caminho.

– AHHHHH! – gritou Sorna, despenhando-se contra o seu próprio piano!

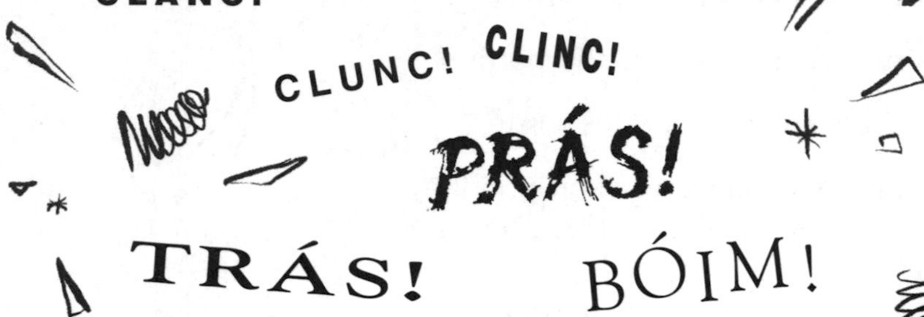

– O meu piano! – gritou ela, por entre aquela confusão de madeira, teclas e arame. – Agora não posso dar mais aulas de piano!

– Nunca deu! – retorquiu o rapaz.

– NED! – vociferou Sorna. – VAIS PAGAR POR ISTO!

Dito isto, Madame Sorna tentou levantar-se de dentro do piano. No meio da confusão, o relógio de mesa dourado caiu da prateleira da lareira e aterrou em cheio na cabeça da mulher.

BÓIM!

– AI! – berrou a mulher.

– Mais uma missão bem-sucedida! – observou Ned.

– É sempre um prazer! – replicou **Slime**, **trans-slimando-se** num foguetão. – ANDA, SOBE!

O rapaz sorriu e içou-se para cima de Slime.

Depois, o foguetão disparou pelo buraco no telhado de Sorna e lá partiu em direção ao céu.

ZUM!

– AQUI VOU EUUUU!

– gritou o rapaz, deliciado.

Capítulo 20

O ABOMINÁVEL CASAL

Gelados Glutão era o nome inscrito na única carrinha de gelados da ilha.

Os donos da carrinha eram um casal chamado Gilberto e Gilberta Glutão. Era suposto venderem gelados, mas em vez disso comiam-nos.

Comiam todos os gelados. Até não sobrar nenhum.

Gelados
Glutão

A técnica que tinham para roubar crianças era infalível. Começavam por estacionar a carrinha em frente a um parque infantil, a uma escola ou a uma praia – qualquer sítio onde pudessem estar crianças. Depois, a Sra. Glutão aparecia à janela da carrinha.

– E que gelado delicioso vais querer, meu queridinho? – perguntava ela, numa voz simpática. A mulher tinha uma voz simpática e uma voz **antipática**. Já vos falo da voz **antipática** daqui a nada.

– Hmmm... – disse Ned, olhando para o cartaz com montes de coberturas deliciosas.

– Demora o tempo que quiseres, querido.

– Queria um gelado de nata, com xarope de chocolate, pepitas de chocolate e uma bolacha de chocolate, por favor!

Ned gostava mesmo muito de chocolate.

– Ótima escolha, meu querido. Mas tens de pagar primeiro!

– Tem troco de uma nota de cinco euros, por favor? – perguntou o rapaz. A nota tinha sido um presente de Natal da sua avó.

– É claro que tenho, meu queridinho mais querido!

Assim que Ned lhe estendeu a nota, a mulher arrancou-lha das mãos e gritou:

– SR. GLUTÃO! **ARRANCA!** – E isto foi dito na sua voz **antipática.**

Gilberto Glutão – que durante todo aquele tempo estivera sentado no lugar do condutor – pôs o pé no acelerador e arrancou a alta velocidade.

VRUMMM!

Ao partirem, gritaram os dois:

– ATÉ SEMPRE, TOTÓ!

Deixaram o pobre Ned na beira da estrada a levar com uma nuvem de cheiro a borracha queimada dos pneus.

E sem gelado.

E sem nota de cinco euros.

Como é que os Glutão se safavam com isto?

Graças à Avelina Avarenta, é claro. Foram feitas muitas tentativas para apresentar a dupla à justiça, mas Avarenta intervinha sempre e impedia que fossem presos. Só de pensar que o abominável casal fizera a vida negra a tantas criancinhas deixava o coração da velha senhora a explodir de alegria. E chegavam frequentemente pessoas para visitar a ILHA SEBENTA, o que providenciava vítimas frescas aos Glutão.

O **abominável casal** não era o melhor promotor dos seus gelados. Eles comiam tanto gelado (diretamente do manípulo) que os seus dentes tinham ficado todos pretos ou até caído. Às vezes um dente podre voava a meio de uma frase e atingia uma criança na cabeça.

P L I M !

E por comerem tanto gelado, o casal engordara imenso, tendo alargado de tal forma que nunca saía da carrinha.

Simplesmente não conseguiam sair!

Era impossível caberem nas portas!

Por isso, os Glutão dormiam na carrinha, comiam na carrinha e até faziam as necessidades na carrinha.

Se lá fores, não peças pepitas de chocolate. Não cheiram a chocolate...

Ned sobrevoava agora a ilha no seu **"sloguetão"***, quando viu uma longa fila de crianças. Eram alunos do colégio interno chique da **ILHA FOFOQUICE**.

A pista óbvia foram os hediondos casacos amarelos e roxos.

Os alunos deviam lá estar numa visita de estudo à atração turística mais aborrecida do mundo: o FORTE MEDIEVAL DA ILHA SEBENTA. Era uma ruína, pouco mais do que algumas velhas pedras a saírem do chão. E como era uma coisa antiga, os adultos tinham

---

* O *Walliamscionário nunca se engana.*

decidido que as crianças tinham de a ir ver e ficar a olhar para ela durante horas.

– PARA BAIXO! – ordenou o rapaz.

Ainda montado no **sloguetão**, Slime e Ned ficaram a pairar sobre as cabeças das crianças, que estavam demasiado tristes para esboçarem sequer um sorriso ao verem um foguetão feito de gosma.

– O que aconteceu? – perguntou Ned, do ar.

– Foram aqueles **horríveis** vendedores de gelado – disse uma das crianças a chorar.

– Pedimos gelados para os alunos de toda a escola e eles fugiram com o dinheiro todo – soluçou outra.

– Foram tão malcriados que até gritaram "ATÉ SEMPRE, SEUS TOTÓS!", e fugiram naquela carrinha velha e suja – balbuciou uma terceira criança.

– Nós achámos que se comêssemos gelado seria mais fácil esquecer o facto inacreditavelmente dececionante de termos de visitar a atração turística mais aborrecida do mundo – queixou-se uma quarta. – Mas estávamos errados.

– É a pior visita de estudo de todos os tempos – soluçou uma quinta criança.

– Neste momento, até preferia estar no

COLÉGIO FOFOQUICE PARA HERDEIROS DA NOBREZA

a ter uma aula de Matemática de duas horas!

– Hmm, acho que não há nada pior do que uma aula de Matemática de duas horas! – exclamou Ned.

– Isto é pior – replicou a criança, desatando num pranto. – BUÁÁÁ! BUÁÁÁ!

Isto fez com que todas as outras crianças desatassem também a soluçar.

– BUÁ! BUÁ! BUÁ!

Era uma sinfonia de choro.

– **Estes miúdos são mesmo chatos** – murmurou **Slime.**

– Chiu! – mandou calar Ned, voltando-se para as crianças e perguntando: – Para onde foi o **abominável casal?**

Todas as crianças soluçavam histericamente. Nem conseguiam responder.

– **Ah, por favor...!** – murmurou **Slime.**

– CHIU!

Em vez de falarem, as crianças apontaram.

Felizmente, apontaram todas na mesma direção.

– Obrigado, meninos! Slime! Por ali! – ordenou Ned, e dispararam na direção correta.

– Eu voltarei, jovens fofoqueiros!

– BUÁ! BUÁ! BUÁ!

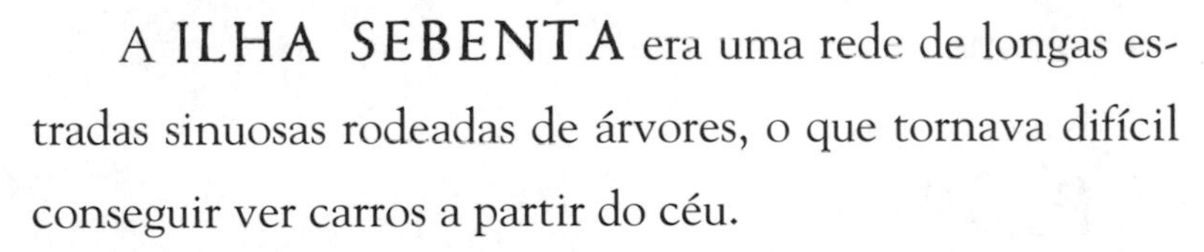

A ILHA SEBENTA era uma rede de longas estradas sinuosas rodeadas de árvores, o que tornava difícil conseguir ver carros a partir do céu.

Mas a carrinha **Gelados Glutão** não era um veículo normal.

A monstruosa carrinha era cor-de-rosa e tinha um modelo de um gelado no capô, visível do espaço. Assim que avistou a carrinha, Ned fez sinal a **Slime** para descer e colocar-se ao lado dela.

A princípio, o Sr. e a Sra. Glutão não viram a imagem estranha de um rapaz montado num **sloguetão** a voar ao lado da carrinha.

Gilberto estava sentado no lugar do condutor, a devorar uma dose GIGANTESCA de gelado, com uma bolacha no topo.

Ned bateu levemente na janela do condutor para obter a atenção daquele bruto.

Inicialmente, Gilberto sorriu e acenou, antes de o cenário surreal o fazer travar a fundo.

CHHHIIIIIII!

O gelado que o homem comia salpicou pedaços por toda a parte.

Na cara dele.

PLOP!

E por todo o para-brisas.

P L O C !

A Sra. Glutão estava na parte de trás da carrinha, a contar o dinheiro que roubara às crianças do Colégio FOFOQUICE, e, devido à paragem abrupta, deu por si de pernas para o ar no chão do veículo.

– AJUDA-ME, SEU INÚTIL! – gritou ela para o marido, sem se conseguir levantar.

– NÃO CONSIGO VER! – gritou o Sr. Glutão, tentando a custo trepar sobre o seu banco para a parte de trás da carrinha. Ao fazê-lo, o seu enorme pé bateu no manípulo do gelado.

SPLASH!

O gelado de nata começou a jorrar pela carrinha.

– AHHH! – gritou a Sra. Glutão – O meu traseiro está gelado!

Ainda sem conseguir ver nada, porque tinha a cara coberta de gelado, o Sr. Glutão tropeçou na mulher e aterrou em cima dela.

– UFA! – berrou ele.

– AI! – gritou ela. – SAI DE CIMA DE MIM, SEU BALOFO!

– EU NÃO SOU BALOFO!

– POIS NÃO! DESCULPA. ENGANEI-ME. ÉS UM **MEGABALOFO!**

Ned, que ainda pairava do lado de fora da janela, desatou a rir.

– AH! AH! AH!

– ALGUÉM ESTÁ A RIR-SE DE NÓS! – rosnou o Sr. Glutão.

– VÃO PAGAR

POR ISTO!

– trovejou a Sra. Glutão.

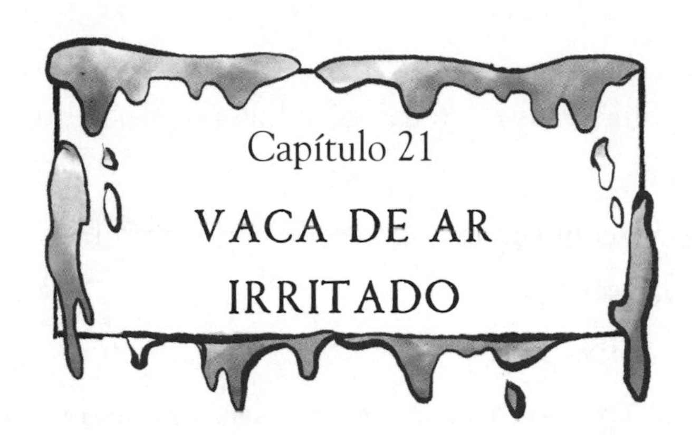

Capítulo 21

VACA DE AR IRRITADO

A Sra. Glutão empurrou o seu volumoso marido de cima de si e pôs-se a pé a custo. Depois, fechou o manípulo do gelado, que tinha estado a soltar gelado como se não houvesse amanhã.

CLIC!

– Sou o Ned – anunciou Ned, ainda do lado de fora da carrinha, montado no **sloguetão**. – Lembram-se de mim?

O rapaz tinha a certeza de que eles se lembrariam, depois de lhe terem roubado tão cruelmente a nota de cinco euros.

– Não! – rosnou Gilberta. – É suposto lembrarmo-nos?

– Sim! – disse o rapaz, ofendido por eles se terem esquecido.

– Eu conheço-te! – começou por dizer Gilberto.

Ned sorriu.

– Sim...?

– Não és o rapaz que estava agora mesmo a voar ao lado da minha janela?

– SIM! – disse bruscamente Ned. – Mas referia-me a antes disso! Obviamente!

– Sinceramente, não me dizes nada – murmurou.

– Eu sou o Ned. Pedi-vos um gelado. Dei-vos uma nota de cinco euros. E vocês roubaram-na e fugiram! Não me deram gelado. Não me deram nada!

O Sr. e a Sra. Glutão olharam um para o outro.

– Não, desculpa lá. Não faço a mínima – disse a Sra. Glutão.

– Para ser franco – começou por dizer o Sr. Glutão –, nós fazemos isso todos os dias, o dia todo, por isso, por muito que tentemos, não nos conseguimos lembrar das vítimas individualmente.

– Não leves a mal, rapaz – continuou a Sra. Glutão, num tom alegre, lambendo um bocado de gelado do queixo com a sua língua grossa e áspera.

Se isto era suposto acalmar Ned, teve o efeito oposto. O rapaz ficou furioso.

– Bem, vou vingar-me de vocês os dois! Vingar-me por mim e pelas centenas de crianças que vocês roubaram.

O Sr. Glutão e a Sra. Glutão olharam um para o outro e desataram a rir.

– AH! AH! AH!

– Centenas? – disse o Sr. Glutão. – É mais milhares!

– Milhões! – riu-se a mulher.

Biliões!

Triliões! Ziliões!

– AH! AH! AH!

– Pois bem, eu, Ned, vou usar o meu

PODER DE SLIME

para me vingar por todas elas! – anunciou Ned.

– O teu quê? – grunhiu Gilberto.

– O rapaz não funciona bem – grunhiu Gilberta.

– A vossa onda de crimes chegou ao fim!

– Primeiro tens de nos apanhar! – exclamou o Sr. Glutão. Dito isto, voltou a sentar-se no lugar do condutor e carregou a fundo no acelerador.

PUM!

VRUUUUMMMM!

– ATÉ SEMPRE, TOTÓ! – gritaram eles.

A carrinha de gelados arrancou…

CHIIII!

… fazendo com a Sra. Glutão voltasse a cair.

– UFA! – gritou, aterrando sobre o seu amplo traseiro.

O problema é que o para-brisas estava AINDA coberto de gelado.

O Sr. Glutão não conseguia ver nada
e a carrinha despistou-se e saiu da estrada.

CHIIIII!

Atravessou uma sebe.

CRUNCH!

E depois começou a
percorrer um campo com vacas.

PUM!
PUM!
PUM!

– MUU! MUU! MUU! – mugiram as vacas, tal como tu farias se uma carrinha de gelados viesse a alta velocidade na tua direção e, é claro, fosses uma vaca.

– TEM CUIDADO, SEU INÚTIL! – gritou a Sra. Glutão, enquanto era projetada de um lado para o outro.

– NÃO CONSIGO VER NADA! – berrou o Sr. Glutão.

O homem ligou o limpa-para-brisas.

SUICH! SUICH!

SUICH! SUICH!

– O GELADO NÃO SAI! – gritou ele.

– NÃO SAI PORQUE ESTÁ DO LADO DE DENTRO, SEU IDIOTA! – berrou de volta a Sra. Glutão.

O homem abanou a cabeça e limpou a parte de dentro do para-brisas com a manga.

Por fim, conseguia ver! Mas o que viu fê-lo gritar de horror.

– AHHHHH!

Ned tinha sugerido que **Slime** se transformasse num gelado gigante. E o rapaz era a cobertura!

– JÁ SE LEMBRAM DE MIM? – perguntou Ned.

A carrinha de gelados ia direitinha a eles.

– AINDA NÃO! – rosnou o Sr. Glutão. A velocidade era demasiada para que o homem conseguisse parar a carrinha.

Carregou com força no travão.

TUMP!

Mas fê-lo com tanta força que as rodas de trás saltaram no ar.

A carrinha deu uma cambalhota por cima do gelado gigante e aterrou ao contrário na relva.

CAPUM!

– MUU! MUU! MUU!– mugiram as vacas, fugindo do caminho.

Slime trans-slimou-se de volta numa bolha, colocando Ned em cima de uma vaca de ar irritado.

– MUU!

Ned fez uma festinha à vaca.

– Linda menina!

–VAIS PAGAR POR ISTO, MEU MENINO! – gritou o Sr. Glutão, de pernas para o ar.

– VAIS ARREPENDER-TE! – concordou a Sra. Glutão, de pernas para o ar.

O rapaz deu uma palmadinha leve na vaca, que se começou a dirigir para a carrinha de gelados.

– Bem, já que gostam tanto de gelado, achei que gostariam de provar um especial, com sabor a **gosma**.

– SABOR A **GOSMA?** – bradou Gilberto.

– DEVE SER NOJENTO! – gritou Gilberta.

– É, sim! – replicou o rapaz. – **Slime!** Serve uma dose gigantesca ao Sr. e à Sra. Glutão!

– Que ideia esplêndida, Ned – disse **Slime**, antes de **escorrer** para dentro da frincha na janela.

– NÃOOOOOOO! – gritou o casal, ao ver a gosma a encher a carrinha de rodas no ar.

A gosma **escorreu** e continuou a **escorrer** para dentro da carrinha de gelados até esta ficar completamente a abarrotar.

Depois, o para-brisas, as janelas e as portas explodiram com a pressão.

CRAC!

PRÁS!

BUM!

A carrinha desfez-se em pedaços.

TUM!

PUM!

CAPUM!

O **abominável casal** deslizou para cima da relva coberta de estrume de vaca, aterrando numa poça gigante de **slime** (ou **"sloça"***).

– ARGH! – queixou-se a Sra. Glutão. – Estou toda pegajosa!

– O que é que ele fez à nossa carrinha? – gritou o Sr. Glutão.

---

* *"Sloça" também pode querer dizer "choça de slime", por isso tem cuidado ao usar esta palavra no discurso diário. Se tiveres dúvidas, consulta o teu **Walliamscionário**.*

– **Slime!** Traz o gelado! – ordenou Ned.

– Boa! Boa! – replicou a bolha, voltando a unir-se.

– NÃOOO! – gritou o casal.

– Quase nem comemos hoje! – disse o Sr. Glutão.

– Estamos esfomeados! – acrescentou a Sra. Glutão.

Mas **Slime** foi rápido e em segundos já tinha retirado o enorme dispensador de gelados em metal dos destroços da carrinha.

CLUNC!

– Temos de ir dar de comer a umas crianças esfomeadas! – anunciou Ned.

– Vamos a voar.

Slime transformou-se numa aeronave gigante, ou **"SLIMPELIM"***, e tirou o rapaz de cima da vaca, agora agradecida.

– MUU!

Depois, levou Ned e o dispensador de gelados pelo céu fora.

---

* *Uma combinação genial das palavras "slime" e "Zepelim", a velha aeronave alemã com o nome do seu inventor, o que prova que o* ***Walliamscionário*** *é uma ferramenta pedagógica de excelência.*

– VAIS PAGAR POR ISTO…! – começou por dizer o Sr. Glutão. – HMM, COMO TE CHAMAS MESMO?

– ATÉ SEMPRE, TOTÓS! – gritou Ned de volta.

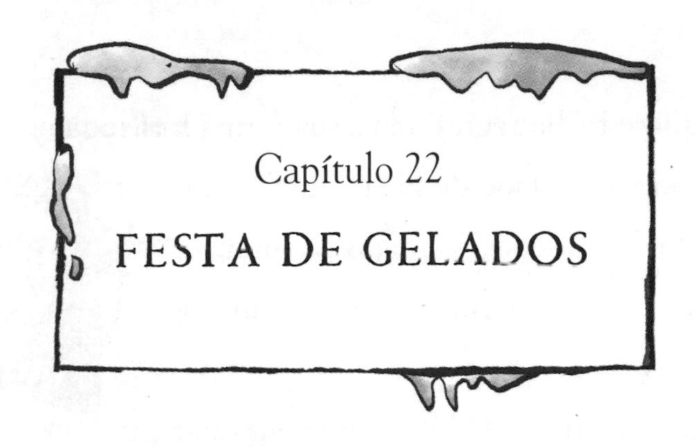

Capítulo 22
FESTA DE GELADOS

Os miúdos do **COLÉGIO FOFOQUICE PARA HERDEIROS DA NOBREZA** continuavam a choramingar ao lado da ruína quando Ned regressou na sua aeronave feita de gosma.

– BUÁ! BUÁ! BUÁ!

– MENINOS! – chamou Ned. – Eu disse que voltava! E trouxe-vos gelado!

– BOA! – festejaram eles, ao verem **Slime** e Ned a aterrar. **Slime** pousou o dispensador de gelados em cima de um pedaço de pedra sem graça nenhuma que os adultos alegavam ter feito parte do FORTE MEDIEVAL DA ILHA SEBENTA.

As crianças chiques correram na direção da grande caixa de metal de gelado de nata.

– GELADO! – gritaram elas. – FIXE!

Slime tinha regressado à sua forma **bolhosa**, sentando-se ao lado de Ned numa pedra coberta de musgo. Os amigos sorriram um para o outro perante mais uma missão bem-sucedida.

Em segundos, toda a alegria das crianças se transformou em silêncio.

– Olhe lá, mas onde estão os cones? – perguntou uma criança.

– Ah, desculpa, não me lembrei de trazer cones – replicou Ned, um pouco surpreendido.

– E eu gosto do gelado com uma bolacha de chocolate – observou outra.

– Bem, nós não tivemos propriamente tempo para...

– E o granulado colorido? – questionou uma terceira.

– Criancinha ingrata... – começou por dizer **Slime**.

– Chiu! – mandou calar Ned.

– BUÁ! BUÁ! BUÁ! BUÁ! – choraram elas todas juntas.

– ASSIM NÃO VAMOS COMER O GELADO! – queixou-se uma.

– ESTA VISITA DE ESTUDO VAI DE MAL A PIOR! – reclamou outra.

– LEVEM-ME PARA A AULA DE MATEMÁTICA DE DUAS HORAS! – balbuciou uma terceira.

Slime revirou os olhos.

– Olhem, por mim, estou quase a pegar nesse dispensador de gelados e a enfiá-lo...

– CHIU! – mandou calar Ned. – Olhem, meninos, vocês podem ligar aqui o manípulo e fazem uma... FESTA DO GELADO!

Ned ligou o manípulo...

CLIC!

... e o gelado de nata macio começou a jorrar.

SPLASH!

Jorrou sobre Ned.

SPLASH!

Jorrou sobre **Slime**.

SPLASH!

Jorrou sobre todas as crianças.

E jorrou sobre o FORTE MEDIEVAL DA ILHA SEBENTA.

Momentos depois, todos estavam cobertos de gelado de nata! Pareciam bonecos de neve!

– FESTA DO GELADO! – gritou uma criança, lambendo gelado do nariz.

– É O MELHOR DIA DE SEMPRE! – gritou outra, tirando bocados de gelado de cima da cabeça e enfiando-os na boca.

– Ainda assim, gostava de ter tido a bolacha – murmurou uma terceira, chorosa.

– Eu sou intolerante à lactose – observou uma quarta criança. – Existe uma opção vegana?

– É impossível agradar a todos – murmurou Ned a **Slime**.

– Assim parece – replicou **Slime**. – Para onde vamos agora, amigo? O dia está a chegar ao fim.

Ned soube de imediato onde deviam ir.

– Tudo neste dia nos trouxe até ao local onde vamos a seguir. É a última paragem. Mas vai ser perigoso.

– Boa! Boa! Eu adoro perigo! – replicou **Slime**.

Capítulo 23
DISCO VOADOR

– És alérgico a gatos? – perguntou Ned. Era uma pergunta importante. A Tia Avelina tinha 101 gatos.

– Que eu saiba, não – respondeu **Slime**.

– Então, vamos! – exclamou o rapaz.

– Tens alguma forma de transporte que prefiras?

– Surpreende-me!

Slime sorriu e **trans-slimou-se** num disco voador.

– Um disco voador! – exclamou Ned, vendo-o a rodar continuamente.

– Suponho que me lembrei por causa dos gatos. Cá para mim, essas criaturas são na verdade extraterrestres.

– És mesmo esperto.

– Eu sei! – concordou **Slime**.

– Vamos!

Slime pegou no rapaz e colocou-o em cima do disco voador.

– É por onde, Ned? – perguntou.

O rapaz rodava sentado no disco voador e agora sentia-se bastante tonto. Contudo, viu o castelo colossal da sua tia orgulhosamente erguido no topo da colina mais alta da ilha.

– POR ALI! – disse ele, apontando para todas as direções.

– Para o castelo? – perguntou **Slime**.

– SIM!

– Quem é que vive lá?

– A pessoa que é dona desta maldita ilha. A pessoa que odeia crianças mais do que qualquer outra, a minha Tia Avelina.

– Deve ser encantadora! – brincou **Slime**.

– Encantadora não é exatamente a primeira palavra que me vem à cabeça.

– Então, suponho que não sejam próximos.

– Próximos? Ah! Ah! Eu já não vejo a Tia Avelina há muito, muito tempo!

– Bem, nesse caso, temos de lhe fazer uma visitinha!

O disco voador de gosma começou a rodar cada vez mais *rápido* pelo céu, com o pobre Ned a agarrar-se a ele com unhas e dentes, como se a sua própria vida dependesse disso.

Capítulo 24

CASTELO AREIA DE GATO

Há senhoras que gostam de gatos e depois há senhoras que são OBCECADAS POR GATOS. A Tia Avelina Avarenta era OBCECADA POR GATOS. Tinha mais de 100 gatos. A Tia Avelina e os seus **101 gatos** (eu disse que eram mais de 100) viviam num castelo remoto. O castelo ficava no topo de uma colina, com vista para toda a ILHA SEBENTA, da qual ela era dona. Devido à sua obsessão por gatos, a Tia Avelina chamara ao seu castelo CASTELO AREIA DE GATO.

A velha senhora era muito chique e vestia longos vestidos fluidos adornados com imagens de gatos. Sempre que dava um passo chocalhava, pois estava coberta de joias.

Todas as joias da Tia Avelina eram relacionadas com gatos.

Alfinetes de peito de gato

Brincos de gato

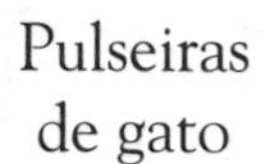

Pulseiras de gato

Anéis de gato

Relógios de gato

Pingentes de gato

Até possuía uma tiara de gato, uma coroa de gato maluca!

A adornar as paredes tinha uma extraordinária coleção de obras de arte (desde que se goste de gatos). As pinturas com gatos eram adaptações de quadros famosos.

A Mona Miau

O Grito de Gato

Gatinha com Brinco de Pérola

O Filho do Gato

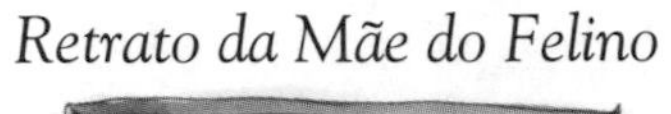

Retrato da Mãe do Felino

O Beijo do Gato

Gataleiro sorridente

Gatorretrato com Orelha Enfaixada

Gata Guiando os Gatos

Almoço de Gato na Relva

Mas não tinha apenas pinturas de gatos. Ai, não, não. Tinha também estátuas de gatos em bronze, prata e ouro um pouco por toda a parte.

Tinha uma estátua de um gato a brincar com um novelo de lã.

Outra estátua de um gato todo enrolado, a dormir.

Até tinha uma estátua de um gato a lamber o próprio traseiro.

Como a Tia Avelina tinha **101 gatos**, era impossível lembrar-se de todos os nomes. Por isso, decidira chamar *Tareco* a todos.

— *Tarecos!* Hora de jantar! – chamava ela, e **101 gatos** corriam na sua direção, levando-a pelo ar.

Os únicos amigos da Tia Avelina eram os seus gatos.

A senhora não gostava de pessoas. Não confiava nelas. Apesar de Ned ser seu sobrinho, ela nunca, mas nunca o via, assim como à sua sobrinha Jemima e a sua irmã mais nova, a mãe deles. E isto acontecia porque Avelina tinha recebido uma herança de um familiar distante. Era uma herança de milhões e milhões e mais milhões de euros.

E Avelina Avarenta não queria partilhar nem um cêntimo com ninguém!

À porta do castelo havia uma enorme placa na qual se lia:

OS INTRUSOS SERÃO COMIDOS.
POR GATOS.

Se isto não bastasse para te desencorajar a entrar, então a falta de uma ponte sobre o fosso em redor do castelo devia resultar. Anos antes, a Tia Avelina Avarenta queimara a ponte, que se afundara na água do fosso. Sem ponte para entrar no castelo, ninguém se podia aproximar. Avarenta podia ficar sozinha com a sua riqueza.

E, é claro, com os seus gatos.

As criaturas mimadas usavam coleiras com diamantes brilhantes, devoravam caviar (ovas de peixes, o que pode não parecer caro, mas é escandalosamente caro) e dormiam em camas com dosséis e lençóis de seda.

Quando morresse, a Tia Avelina planeava deixar o **Castelo Areia de Gato** e todo o seu recheio para... adivinhaste! Os seus gatos.

Havia alturas em que as pessoas mais próximas da Tia Avelina suplicavam que ela as ajudasse.

Que lhes desse um bocado de comida.

Um sítio para dormir.

Algum dinheiro para as ajudar em necessidades extremas.

Até Ned, quando precisara de uns pneus novos para a sua cadeira de rodas, tinha sido rejeitado pela sua malvada tia. Tal como todas as outras crianças da ilha o tinham sido. Certo dia, um grupo de crianças encheu-se de coragem e pediu:

– Podemos jogar um jogo de futebol na sua propriedade, por favor?

Sem lhes dirigir uma palavra, a Tia Avelina lançou os seus **101 gatos** às crianças.

Escusado será dizer que as crianças nunca mais voltaram a perguntar.

Mas nunca se esqueceram da crueldade da mulher.

E Ned também não.

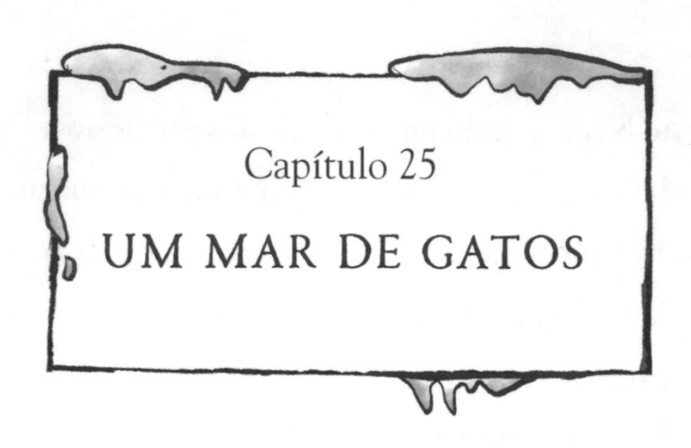

Capítulo 25

UM MAR DE GATOS

O disco voador de **gosma**, ou **OGNI** (Objeto Gosmento Não Identificado), rodopiou pelo céu. Rodava tão rapidamente que o pobre Ned já não se conseguia segurar. Um por um, os seus dedos começaram a soltar-se. O **OGNI** voava sobre o CASTELO AREIA DE GATO quando Ned se sentiu a cair.

– AHHHHH! – gritou ele.

Slime disparou atrás dele, mas Ned caía tão rapidamente que ele não foi capaz de o apanhar.

O rapaz desceu às cambalhotas pelo ar e caiu dentro do fosso do castelo.

E afundou-se na água. Ele não sabia nadar. A não ser que **Slime** fizesse algo rapidamente, seria o fim de Ned.

Slime mergulhou no fosso e emergiu na forma de um monstro marinho, com Ned, todo ensopado, montado nas suas costas.

Escusado será dizer que, como o monstro estava molhado, tornara-se muito escorregadio! Ned não se conseguia segurar.

– AHHH! – gritou ele, deslizando pelas costas do monstro.

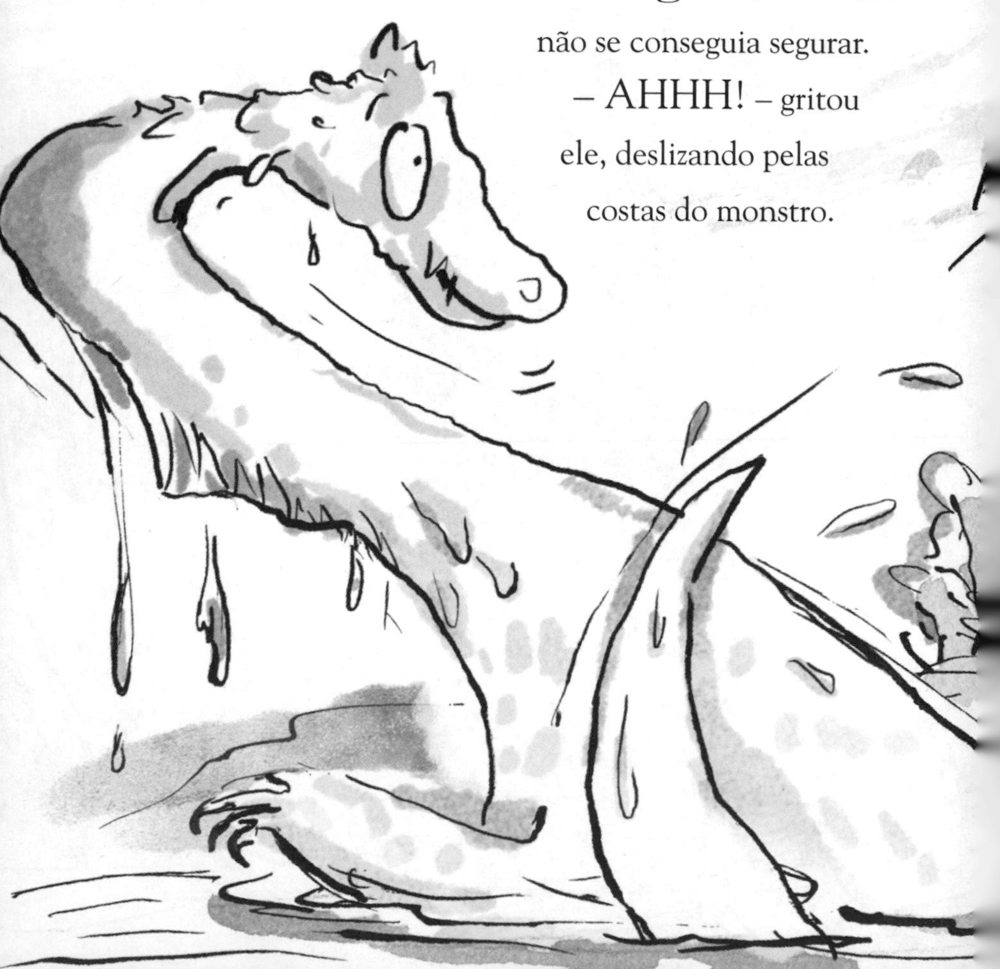

No momento em que Ned estava prestes a cair das costas de Slime, o monstro sacudiu a cauda e mandou o rapaz a voar pelo ar.

– AHHHH!

Ned voou por cima do muro do castelo.

– SOCORROOOO!

Lá em baixo, o rapaz via o pátio do castelo a aproximar-se cada vez mais.

Era um mar pululante de gatos!

Gatos de todos os tamanhos e de todas as cores!

Gatos pretos, gatos brancos, gatos ruivos, gatos cinzentos, gatos vermelhos, gatos azuis e até um daqueles gatos esquisitos sem pelo.

A qualquer momento, o rapaz iria aterrar mesmo em cima deles.

– SOCORRO! – gritou ele.

GATOS!

Capítulo 26

COMIDO VIVO

Ned fechou os olhos com força enquanto caía. O rapaz estava prestes a ser comido vivo por **101 gatos**. Porém, ele não tinha visto que **Slime** fazia agora um arco vindo do fosso para se transformar num castelo insuflável.

Um castelo insuflável de slime.

Um castelo **"slimuflável"***.

O castelo **slimuflável** aterrou mesmo em cima dos gatos.

MIAU!
MIAU!
MIAU!

CSSS!
CSSS!
CSSS!

---

* O ***Walliamscionário*** *tem esta palavra, por isso, não me irrites.*

Ned aterrou exatamente no centro do castelo **slimuflável**.

BÓIM!

Voltando a disparar pelo ar.

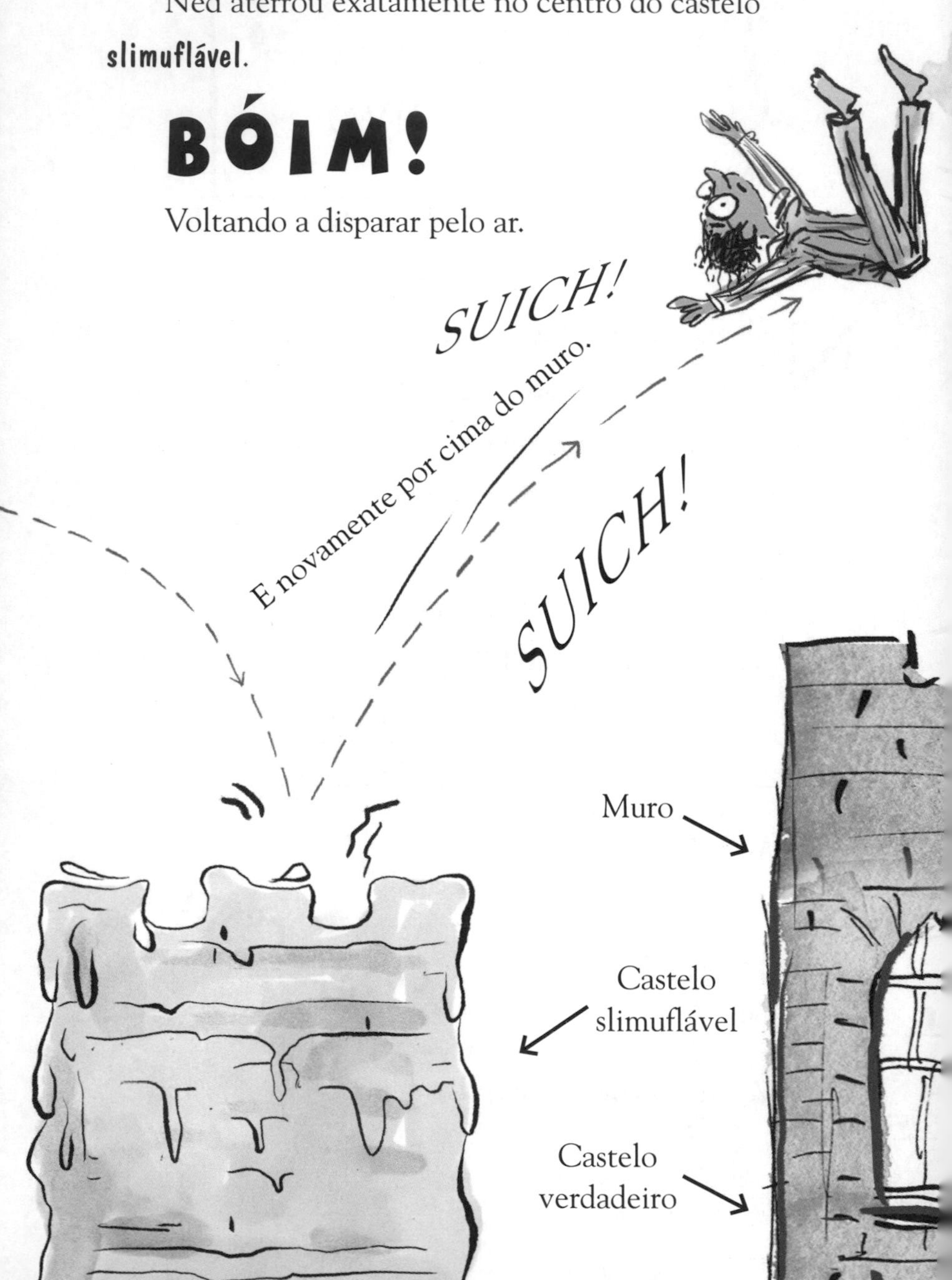

Outra vez na direção do fosso!

Quando conseguiu apanhar Ned das profundezas lamacentas do fosso, **Slime** transformou-se num escadote. Um "sliscadote"*

O sliscadote parecia a forma ideal de passar sobre o muro do castelo. Isso até o rapaz tentar içar-se com os braços. Estava tão molhado e esssssscorregadio que desssslizou direitinho de volta ao fossssssso.

* *Walliamscionário.*
Vá lá, gente. Abram a pestana.

Por fim, após muita discussão entre Ned e o seu amigo gosmento, surgiu uma solução que era tão simples quanto brilhante.

O rapaz seria disparado de um canhão de **slime** (ou **"slanhão"***) e aterraria no topo do CASTELO AREIA DE GATO.

Por isso, depois de fazer a contagem decrescente...

– Três, dois um!

... Slime disparou Ned pelo ar.

PUM!

SUICH!

Por cima do muro do castelo.

SUICH!

Por cima do pátio de gatos.

SUICH!

Por cima do outro muro do castelo.

SUICH!

Aterrando no fosso no lado oposto.

SPLASH!

* *Não volto a dizer.*

N Ã O O O O O O !

Slime trans-slimou-se de volta num monstro marinho e mergulhou nas profundezas do fosso para salvar o seu amigo.

Já em terra firme, o rapaz lamentou-se:

– É IMPOSSÍVEL!

– Nada é impossível – replicou **Slime**.

– É impossível entrar no castelo da Tia Avelina!

– Sim, à exceção disso. Obviamente.

– Obviamente.

Slime e Ned pensaram por uns momentos.

– Deve haver uma forma de passar por cima do muro e evitar os gatos – disse Ned.

– O que é os gatos odeiam? – perguntou **Slime**.

– Cães!

– Então, serei um cão!

Em segundos, **Slime trans-slimou-se** num cão, ou **"slão"***.

---

* *Pronto. Já chega. Voltas a pôr-me em causa e este livro transforma-se em* **slime** *nas tuas próprias mãos!*

O **slão** era cem vezes maior do que um cão normal e secou-se fazendo aquela coisa estranha que os cães fazem de se abanarem muito.

S P L A S H !

Depois, o **slão** colocou Ned às suas costas. Por milagre, o rapaz não desssslizou. Em seguida, foram na direção contrária ao castelo, começaram a correr para ganhar lanço e, por fim, deram um salto gigante.

TÓIM!

Saltaram por cima do muro.

SUICH!

E… SUCESSO!

Aterraram no pátio do castelo, mesmo em cima do mar de gatos.

Os gatos começaram a rodeá-los e os amigos ficaram assustados.

– O q-q-que h-h-havemos de f-f-fazer? – perguntou **Slime**.

– ÉS UM CÃO! – lembrou-lhe Ned. – ROSNA--LHES!

– Vou tentar – replicou **Slime**. – GRRRR!

Os gatos da Tia Avelina não se assustavam facilmente. Na verdade, até se riram desta tentativa patética.

– MI-HAU-HAU-HAU!*

– Oh, não – disse Ned.

– Oh, sim – disse **Slime**.

Os gatos começaram a rodear os intrusos, preparando-se para atacar e mostrando as suas garras.

CSSS!

Alguns dos gatos mais atrevidos começaram a arranhar este "cão" com as suas garras.

MIAU!

CSSS!

SUICH!

---

* *Sim, é assim que os gatos se riem. Eu já os ouvi a rir quando leem os meus livros.*

RASG!

Ned e **Slime** encolheram-se num canto. Estavam tão espalmados que a qualquer momento não passariam de uma bagunça de gosma.

– Oh, não! – exclamou **Slime**.

– Oh, sim! – exclamou Ned.

– Parece-me o fim.

– Pois parece. Eles são demasiados!

– Quantos são? – perguntou **Slime**.

– Não os consigo contar a todos! Estão sempre a mexer-se de um lado para o outro!

O exército de gatos da Tia Avelina continuava a bufar e a dar patadas com as garras de fora.

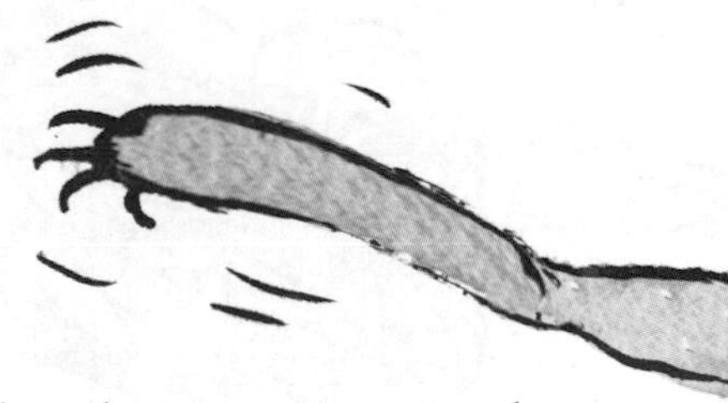

MIAU!

CSSS!

SUICH!

RASG!

– Se não têm medo de cães, deve haver outra coisa de que têm medo! – sugeriu Ned.

– Mas de quê?

Os gatos aproximavam-se cada vez mais deles.

PUM! PUM! PUM!

– DE ÁGUA! – exclamou o rapaz.

– É claro! – concordou **Slime**.

– **Slime!** Transforma-te num mar revolto! JÁ!

Slime fez o que o amigo lhe pediu. Em segundos, o pátio do castelo estava repleto de um mar de slime (ou **"SLAR"***).

– MMMMMIIIIIIAAAAAAAUUUUUUUU!

– berraram os gatos.

* *Este é o pior, prometo.*

Ned tinha razão. Os gatos tinham medo de água. Na verdade, tinham TERROR!

Os felinos monstruosos estavam agora a saltar para cima de qualquer coisa que flutuasse no mar gosmento.

Cadeiras. Mesas. Outros gatos.

– MMMMIIAAAAAUUUUU!

Ned, que fazia *bodyboard* num tabuleiro de madeira, viu uma janela aberta na parede.

– Por aqui, **Slime!** – gritou ele.

O rapaz deslizou para dentro da janela e o mar de **gosma** seguiu-o, despejando-se no interior do espaço estreito.

Dentro do castelo, o rapaz caiu ao chão.

TUMP!

– *UFA!*

A **gosma** caiu em cascata em cima dele.

– BLHEC! – disse Ned.

O rapaz olhou em redor. Estava dentro da maior sala que alguma vez vira. Era a imagem perfeita da opulência. Havia pinturas a óleo, antiguidades de preço incalculável e candelabros de cristal pendurados do teto. Estava a um mundo de distância da humilde casinha onde ele vivia.

– QUEM ESTÁ AÍ? – exigiu saber alguém.

Era a tia de Ned, Avelina Avarenta. A senhora estava mesmo ao lado deles, carregada de joias e a segurar nos braços um gato particularmente assustador.

* *Isto foi o gato, não a Tia Avelina.*

Capítulo 27
UM GATO TÃO GRANDE COMO UM URSO

À primeira vista, não se percebia quem segurava quem. Até podia ser o gato a pegar na tia, já que eram ambos do mesmo tamanho.

O gato, tal como todos os outros, chamava-se *Tareco.* Era possível distinguir este *Tareco* dos outros pelo simples facto de ser do tamanho de um urso-pardo.

Era um *Tareco* **Gigantesco**.

– EU DISSE "QUEM VEM LÁ?" – repetiu a Tia Avelina.

O rapaz içou-se para cima de uma cadeira. Entretanto, **Slime** – que até agora estava espalhado sobre o tapete em seda – juntou-se novamente, assumindo a sua forma b o l b o l h o s a* por detrás do rapaz.

* *Significa bolbolhante.***

** *Significa bolbolhosa.*

– Sou eu, Tia Avelina! O seu sobrinho favorito, o Ned – balbuciou o rapaz. – Bem, digo "favorito"… mas a tia só tem um. Por isso, suponho que eu seja o seu favorito!

A Tia Avelina não achou a mínima graça.

– Tu és uma sanguessuga, é o que tu és, rapaz! A querer sugar tudo e mais alguma coisa de mim! Como o resto da tua família maldita.

O gato malvado olhava-o de lado. Os olhos dele brilhavam como os diamantes na sua coleira.

– **CSSS!** – bufou ele.

– Não leram a placa? Os intrusos serão comidos! Quero-vos fora do meu castelo imediatamente! Ou atiço-vos o *Tareco!*

Dito isto, a mulher lançou o *Tareco* **Gigantesco** na direção do rapaz. A enorme criatura aterrou no chão com um baque seco.

TUMP!

– E quem é esta catota gigante que vem contigo? – exigiu saber a Tia Avelina.

- **QUE SIMPÁTICA...!** – exclamou **Slime**. Ao olhar para baixo, reparou que o *Tareco* **Gigantesco** estava a lamber-lhe o pé bolhoso com a sua enorme língua rugosa. O **Slime** não caiu nada bem ao gato e, pouco depois, o *Tareco* **Gigantesco** regurgitava **bolas de slime** (em vez de bolas de pelo).

HUH! HUH!

– O **Slime** é meu amigo – replicou o rapaz.

– Mas que **repugnante** ter um bocado de ranho como amigo! – observou a Tia Avelina.

– A Tia Avelina devia, um dia, tentar ter um amigo. Nós preocupamo-nos consigo, aqui sozinha, no castelo.

A senhora riu-se para si mesma.

– Ah! Ah! Amigos? Não preciso de amigos. Nem de família. Nem de ninguém. Estes é que são os meus verdadeiros amigos!

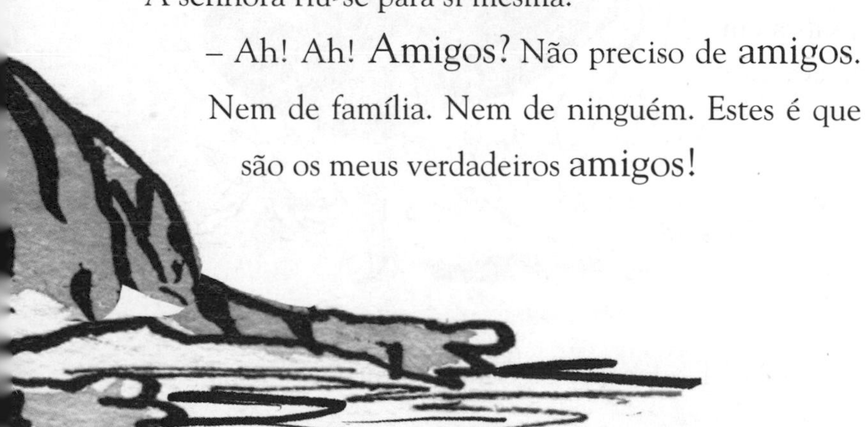

Dito isto, a mulher mostrou as joias ao rapaz. A Tia Avelina parecia uma árvore de Natal, com decorações brilhantes penduradas de todos os sítios possíveis.

E, claro, a sua coroa de gato maluca!

Até se podia pensar que a Tia Avelina pertencia à família real, não fosse o fedor a xixi de gato.

– O que estás aqui a fazer, rapaz? – silvou ela. – Não te convidei para vires ao meu castelo. Eu nunca convido pessoas para virem ao meu castelo. Elas querem sempre alguma coisa.

– Bem, na verdade... – começou por dizer Ned, antes de ser interrompido.

– Queres dinheiro? É por isso que estás aqui? Porque aviso-te já que não vais ter nem um único cêntimo dos meus milhões! Ouviste-me, rapaz? NEM UM ÚNICO CÊNTIMO!

– **Ela é sempre assim?** – sussurrou **Slime**.

– Isto é ela bem-disposta – replicou Ned.

– O que queres, rapaz? Diz-me! – rosnou ela. – Ou atiço-te os meus **101 gatos!**

Ned olhou para a janela do castelo. Os outros 100 gatos deviam ter trepado pela parede do pátio.

Jorravam agora para dentro da sala. Um rio ululante de gatos furiosos.

CSSS!

Liderados pelo *Tareco* **Gigantesco**, os outros *Tarecos* começaram a rodear os dois amigos, preparados para os atacar.

– DIZ-ME, RAPAZ! – gritou a tia, fazendo com que as joias chocalhassem umas nas outras. – OU VAIS SER COMIDA PARA GATO!

MIAU!

CSSS!

O rapaz teve uma ideia malandra. Uma ideia que ia ensinar uma lição a esta senhora. Uma lição que mudaria a vida de todas as crianças da ILHA SEBENTA para sempre.

– Eu estou aqui, minha querida tia, porque queria dar-lhe uma coisa.

A mulher ficou intrigada.

– A MIM?

– Sim, a si. Temo que a tia não tenha joias suficientes!

Avelina olhou para os seus imensos ornamentos.

– E tens razão, rapaz! – concordou ela. – Eu não tenho coisas brilhantes suficientes. Preciso sempre de mais, mais, MAIS!

– Gostava de ter mais? – perguntou Ned.

– SIM! – rugiu Avelina Avarenta. – DÁ-ME! DÁ-ME! DÁ-ME MAIS!

Ned olhou para **Slime**.

– Eu sabia que iria querer mais. Deixe o meu amigo **Slime** dar-lhe uma ajudinha!

Os amigos sorriram um para o outro. Slime sabia exatamente o que fazer.

– Comecemos com outro colar! – exclamou o rapaz.

Dito isto, o peito de **Slime** abriu-se e disparou de lá de dentro um torpedo de **gosma...**

SPLASH!

... que atingiu o peito da senhora, cobrindo-a de **gosma**.

PLOP!

– ARGH!

– E, é claro, uns brincos novos!

Duas bombas de **gosma** mais pequenas atingiram-na nas orelhas.

PLOP! PLOP!

– AHHH!

– E porque há de ter uma tiara quando pode ter uma coroa gigantesca?

Em seguida, o que sobrava de Slime começou a levitar e aterrou na cabeça da mulher, cobrindo-a de cima a baixo com **GOSMA!**

PLOP!

– BLHEEEEECCCCCC! – gritou ela.

Ned começou a rir…

– AH! AH! AH!

… e **Slime** uniu-se novamente e disparou na direção do rapaz.

– Temos de ir embora daqui! – exclamou **Slime**.

– Porquê?

– Os Tarecos vão atacar!

Ned olhou para baixo. Estava rodeado de gatos e mais gatos.

À frente da gataria estava o ***Tareco* Gigantesco**. A criatura enorme saltou na direção do rapaz, com as garras de fora.

SSSSS!

Slime pensou rápido. Sem dizer uma palavra disparou em direção ao teto.

PLOP!

E ficou lá colado.

Parecia agora uma alforreca gigante. Tentáculos longos e gosmentos pendiam do teto.

– E eu? – disse Ned.

– **Já vou!** – respondeu **Slime**.

Mesmo a tempo, os tentáculos apanharam Ned e levaram-no para o teto.

SUICH!

O pé de Ned ficou unido à gosma.

POC!

O rapaz ficou ali suspenso, de pernas para o ar, longe das garras dos gatos e a sentir-se muito satisfeito consigo mesmo.

Contudo, o ar convencido no seu rosto esmoreceu quando a sua tia, **coberta em gosma**, rosnou uma ordem.

– *Tarecos!*

COMAM AQUELE RAPAZ!

Capítulo 28

UMA PILHA DE BICHANOS

A Tia Avelina devia ter ensinado truques acrobáticos aos seus gatos – é improvável, eu sei, mas ouve só –, porque de imediato as criaturas começaram a trepar sobre os ombros umas das outras. Os gatos formaram uma espécie de escadote de gatos, ou "**gadote**"*, para sermos mais precisos.

* *Vá lá, toda a gente conhece esta palavra!*

Segundos depois, os gatos subiam. E subiam cada vez mais alto. Num piscar de olhos, aproximaram-se perigosamente do rapaz. As suas garras afiadas tentavam atingi-lo.

SUICH!

SUICH!

SUICH!

CSSS!

– **SLIME!** FAZ ALGUMA COISA! POR FAVOR! – gritou Ned.

Slime começou a deslizar pelo teto para escapar.

POC! POC! POC!

Contudo, ficou emaranhado no candelabro.

PLIM! PLIM!

PLIM!

– *Tarecos*, JÁ ESTÃO NO PAPO! – gritou a Tia Avelina, do chão, enquanto limpava gosma da cara. – QUE VOS SAIBA BEM O JANTAR, MEUS FOFOS!

Ora bem, os gatos não são as criaturas mais inteligentes do mundo. Na experiência que tenho de lidar com diferentes tipos de animais, classificaria a inteligência dos gatos assim:

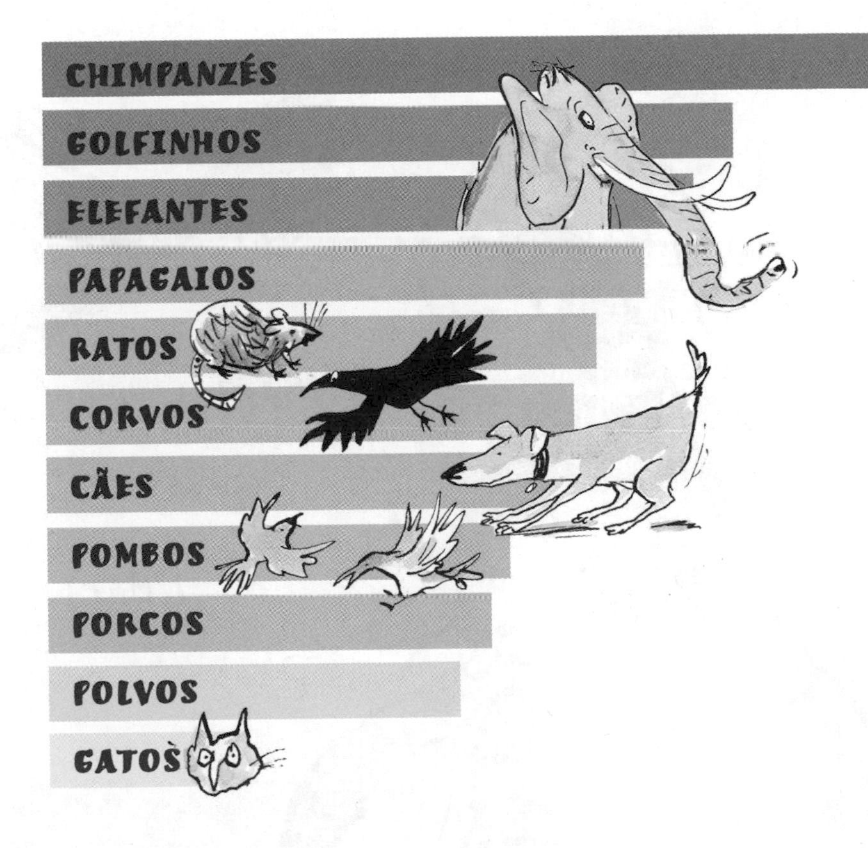

A coisa não inteligente que estes gatos fizeram foi colocar o gatinho bebé **Tarequinho** no fundo do escadote de gatos, depois um **Tareco** adulto no meio e o **Tareco Gigantesco** no topo. O **Tareco Gigantesco** estava agora ao nível do rapaz, entrelaçado com **Slime** no candelabro. O felino monstruoso mordia o ar, à distância de uma unha negra do rosto de Ned.

Quando **Slime** tentava fugir do candelabro…

CLINC! CLANC! CLUNC!

... balançou acidentalmente o rapaz de pernas para o ar na direção da criatura.

SUICH!

– AHHHH! – gritou Ned.

– **NHAC!** – mordeu o *Tareco* **Gigantesco**. E as suas garras espetaram-se na orelha de Ned.

A dor foi de ficar com **lágrimas nos olhos**.

– AIIII!

E pior, a criatura não o soltava!

– SOCORROOOOOO!

Um brinco de gato gigante deve provavelmente ser o brinco mais doloroso de sempre.

O rapaz continuava a balançar e o *Tareco* **Gigantesco** balançava também.

SUICH!

A criatura balançou tanto e tão longe que o **gadote** começou a desmoronar-se.

MIAU!

MIAU!

MIAU!

Enquanto o Tareco Gigantesco continuava agarrado à orelha de Ned com suas garras, os outros 100 gatos que estavam debaixo dele deram um tombo, ou *"gambo"*.*

---

* *Um tombo de gatos. A sério, vai comprar o* ***Walliamscionário*** *e não se fala mais nisso.*

Os 100 gatos caíram mesmo em cima da Tia Avelina.

TUMP!

TUMP!

TUMP!

MIAU!

MIAU!

MIAU!

A senhora ficou soterrada sob uma pilha de bichanos.

E um dos rabiosques dos gatos (ou **"gatiosques"***) ficou colado ao nariz dela.

Mesmo depois de todos os outros

* *Um "gatiosque" é uma palavra usada no dia a dia que não requer qualquer explicação.*

gatos terem tombado (ou "gambado"*) ao chão, o Tareco Gigantesco continuava pendurado (ou *"gandurado"**) na orelha de Ned. Incrível!

Por mais que Ned o tentasse afastar, a criatura não largava a orelha. Na verdade, espetava as suas garras cada vez mais fundo na pele do rapaz.

NHAC!

– AIIII! – gritou Ned. Tal como tu farias se tivesses um gato gigante que pesasse tanto como um carro pequeno pendurado na tua orelha.

Entretanto, a Tia Avelina tentava levantar-se do meio da pilha de bichanos. Muitos dos bichanos continuavam colados ao corpo gosmento dela.

A mulher malvada parecia um enorme monstro peludo.

* *Não adies mais! Compra o teu* **Walliamscionário** *ainda hoje!*

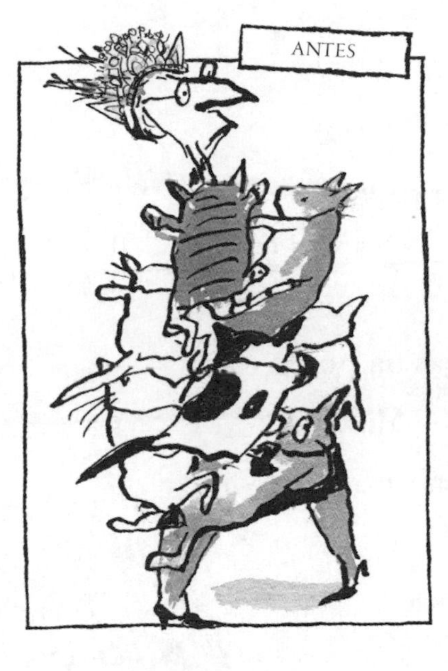

– Não consigo tirar este gato gigantesco da minha orelha! – gritou Ned.*

– Faz-lhe cócegas! – sugeriu **Slime**.

– CÓCEGAS?

– Vale a pena tentar!

De imediato, o duo de pernas para o ar começou a fazer cócegas em todo o corpo do *Tareco* **Gigantesco** – nas orelhas, no queixo, nas pernas, na barriga e na cauda.

---

* *Esta é uma frase que nunca encontrarás num livro de Charles Dickens, apesar de todos os elogios que fizeram à sua obra.*

TIC! TIC! TIC!
TIC! TIC! TIC!

Não funcionou! O gato continuava impassível.

– FAZ-LHE CÓCEGAS NA PONTA DA CAUDA! – ordenou Ned.

– Não vou fazer cócegas na ponta da cauda de um gato! – replicou **Slime**.

– Porque não? – exigiu saber o rapaz.

– Parece mal!

– Que disparate! Fazemo-lo juntos!

E foi precisamente o que fizeram. Começaram a fazer cócegas na ponta da cauda do *Tareco* **Gigantesco**.

– MI! HAU! HAU!

– riu-se o gato. Ao rir-se, abriu a boca e soltou a orelha de Ned.

S U I C H !

O *Tareco* **Gigantesco** caiu pelo ar.

– NÃÃOOOOOOOOO! – gritou a Tia Avelina, do chão, vendo um gato com o peso de um elefante bebé a cair-lhe na cabeça.

TÓIM!

– AIII! – gritou ela.

– Já chega? – perguntou Ned. – Ou ainda quer mais, mais, mais?

– Por favor! – suplicou a Tia Avelina. – Mais, não! Não, não!

– Então, as coisas vão ter de mudar na ILHA SEBENTA!

– O que quiseres! Diz!

– Não vai haver mais adultos horríveis a aterrorizar as crianças.

– Não faço ideia de quem falas! – protestou ela.

– A tia sabe exatamente a quem me refiro! O Fúria, os Inveja, o Brioso, a Sorna, os Glutão. Eu e todas as crianças queremo-los fora da ilha para sempre!

– Ou? – perguntou Avarenta.

– Ou o **Slime** vai divertir-se consigo!

– NÃOOOOO! – suplicou ela. – Eu mando-os embora já, já!

– Fantástico! – exclamou Ned. – E quanto à tia…?

– Bem, eu, hmmm… eu prometo ser mais simpática com os pestinhas… quero dizer, as crianças!

– Hmm… – refletiu o rapaz. – Está no bom caminho. E também quero que saiba que pode voltar a fazer parte da nossa família. Gostávamos muito que um dia destes desse um salto a nossa casa para beber um chá.

– Er-erm… – balbuciou a mulher.

– O **Slime** dá-lhe boleia!

– Será um prazer – disse **Slime**, com um tom maroto na voz. **– Boa! Boa!**

– Dispenso a boleia, mas aceito o chá – replicou ela.

– Ótimo! – disse Ned. – Vá, **Slime**, vamos embora!

Slime desemaranhou-se do candelabro e transformou-se num propulsor a jato, ou ***"PROPULSOR A SLATO"****.

– Adeus e até à próxima! – disse Ned.

---

* *Não são necessárias explicações. Nem tão-pouco serão dadas.*

Os amigos dispararam pela janela do castelo e a Tia Avelina, ainda em choque e de queixo caído, limitou-se a vê-los partir.

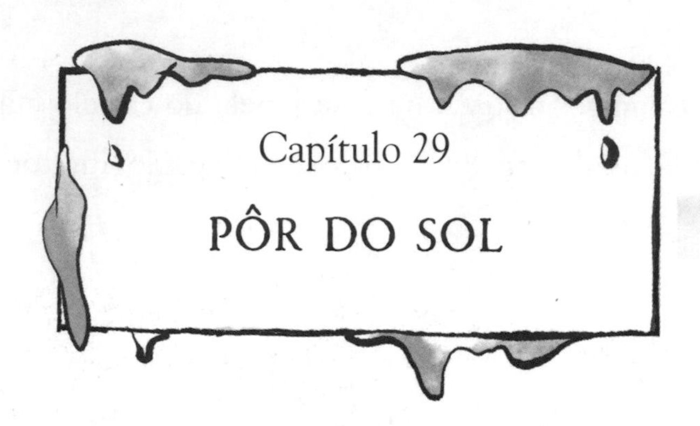

Capítulo 29

PÔR DO SOL

Tinha sido o dia mais **slimetástico** de sempre, mas estava quase a acabar.

O sol estava a pôr-se sobre a ILHA SEBENTA.

– Vamos para casa, por favor! – disse o rapaz ao propulsor a jato de gosma sobre as suas costas.

– Com certeza, Ned – respondeu **Slime**, voando pelo ar de volta ao sítio onde a aventura deles começara.

A casa de Ned.

S U I C H !

Vista de cima, a casa estava assustadoramente calma. Como ainda não tinha anoitecido, os pais de Ned deviam estar a trabalhar arduamente.

Mas onde estaria a irmã dele, Jemima?

Ned percorreu toda a casa e constatou que estava vazia.

– Jemima! – chamou ele. – JEMIMA?

Mas a menina não se encontrava em lado nenhum.

– Onde está ela? – perguntou o rapaz.

Slime abanou a sua cabeça gosmenta.

– Não faço a mínima ideia. Mas não pode ter ido longe. Sebenta é uma ilha pequena.

Ned foi espreitar à casa de banho e reparou que a sua cadeira de rodas também já não estava lá.

– A minha cadeira de rodas! Ela levou a minha cadeira de rodas! A minha irmã é mesmo horrível. Onde é que ela a pôs?! – reclamou ele.

– Para que quereria ela a tua cadeira de rodas?

– Aposto que a atirou de um precipício.

– Ned, não sabes se foi isso que aconteceu.

– Ela já fez pior do que isso!

– A Jemima não pode ser assim tão má.

– Ah, mas é! – replicou Ned.

– Bem, vamos ver se a encontramos! Se a encontrarmos, aposto que a tua cadeira de rodas não estará longe.

– Talvez...

– Tenho a certeza! Vamos lá!

Dito isto, **Slime** pegou no rapaz e voltaram a levantar voo. Desta vez, o amigo de Ned trans-slimou-se num papagaio, ou **"slapagaio"***.

O rapaz deitou-se sobre o **slapagaio** e, juntos, voaram pela ilha à procura de Jemima.

– OLHA! – gritou o rapaz. – PEGADAS DE BOTA!

---

* *Uma seca, eu sei. Tão seca que nem está incluído no* ***Walliamscionário***.

De facto, havia pegadas de bota na lama em direção à floresta.

Planaram os dois sobre as árvores até Ned ver uma clareira. No chão havia uma mancha de cores brilhantes e o rapaz pensou que deveria ser o vestido florido da irmã mais velha. Fez um gesto para **Slime** descer, e o duo planou silenciosamente em direção à clareira na floresta.

Slime transformou-se novamente em bolha e pegou em Ned com o seu braço bolhoso, segurando-o com força.

O rapaz tinha razão. Um pouco mais à frente, junto à árvore mais antiga da floresta, estava Jemima. E também a cadeira de rodas dele. A menina encontrava-se ainda demasiado longe para Ned ver o que ela fazia, mas tinha a certeza de que não era coisa boa.

– Vamos apanhá-la! – sussurrou Ned a **Slime**.

– **Espera um bocadinho** – hesitou **Slime**.

– Não! Vá lá! Precisamos de tirar partido do elemento surpresa. Transforma-te numa bola.

– **Uma bola de slime?**

– Isso mesmo! Depois, podemos ir a rebolar até perto dela e... surpresa! Cobrimo-la com gosma da cabeça aos pés!

Slime encolheu os ombros (tanto quanto é possível uma bolha de gosma encolher os ombros), e em seguida rebolaram juntos pela floresta, aproximando-se cada vez mais da menina.

POC! POC! POC!

Só quando estavam mais perto é que Ned viu que Jemima tinha a cabeça pousada no assento da sua cadeira de rodas. O rapaz quis dizer-lhe que tinha dado puns – inúmeras vezes – exatamente no sítio onde estava o nariz dela, mas conteve-se. Se o fizesse, estragaria a surpresa!

Ao aproximarem-se mais, Ned reparou que Jemima estava a fazer uma coisa que ele nunca a tinha visto fazer.

Estava a chorar.

– Porque é que ela está a choramingar? – sussurrou Ned a **Slime**.

– Se calhar a tua irmã tem saudades tuas.

– Não sejas parvo, **Slime**. Ela odeia-me. Tal como eu a odeio. Vá lá, chega-te mais perto.

A **bola de slime** rolou sobre um galho que se partiu.

CRAC!

O barulho assustou Jemima. Instintivamente, a menina deu um salto e desferiu um grande pontapé. Foi com tanta força …

CRAC!

… que Ned e **Slime** dispararam

pelo ar.

– AHHHH! – gritou o rapaz.

Começando a cair aos trambolhões de volta ao chão, Ned percebeu que o seu plano não correra como… erm… planeado.

– **SLIME!** – gritou ele. – AJUDA-ME!

Slime estava muito mais acima no céu.

– NED! NÃO CONSIGO!

O rapaz gritou.

– AHHHHHHH!

Ned caía desamparado na direção de Jemima.

Foi então que aconteceu a coisa mais maravilhosa de sempre. Jemina apanhou Ned.

– UFA! – exclamou ela. – NED! Que bom ter-te encontrado!

Agora, frente à irmã, Ned viu que ela tinha lágrimas nos olhos.

Slime aterrou um pouco mais longe na floresta.

TUMP!

Começou a rolar na direção deles pelo meio das árvores altas.

– Porque estavas a chorar, Jemima? – perguntou Ned.

– Estava preocupada contigo! – replicou ela, segurando nos braços o irmão mais novo.

– Comigo?

O rapaz não acreditava no que estava a ouvir.

– Sim. Contigo. Desculpa ter-te feito fugir de casa.

– Bem, eras sempre muito horrível para mim.

– Eu sei. Mas nunca quis que fugisses. E quando o fizeste, apercebi-me do quanto eu…

– Tu quê? – perguntou Ned. Será que Jemima ia mesmo dizê-lo?

– … gosto de ti.

– Pensava que ias dizer que me **amavas**.

– Bem, para já ficamos com "gosto" – replicou Jemima.

– "Gosto" é bom! – exclamou Ned.

– Tu és o meu irmão mais novo e eu devia estar a tomar conta de ti. E não a pregar-te partidas horríveis.

– Ah, que bom ouvir isso! – disse Ned. – Mas porque estavas aqui escondida na floresta?

– Tenho estado à tua procura pela ilha toda desde madrugada. A floresta era o único sítio que me faltava ver. Fui-me abaixo porque estava a anoitecer e eu pensei que tivesses desaparecido… para sempre.

Por esta altura, **Slime** já tinha rebolado até perto dos irmãos.

POC! POC!

POC! POC!

– **Olá!** – disse **Slime**.

– AAAAHHHHHH! – gritou Jemima. – Isso fala!

– Não é preciso gritar – assegurou Ned.

– **Sou muito amigável** – disse **Slime**.

– Mas deste-me um pontapé no traseiro! – lembrou Jemima.

– **Ah, sim** – replicou **Slime**. – **Peço desculpa por isso.**

– Eu mereci-o – reconheceu ela. – Mas o que és tu?

– Eu sou o **Slime**, gosma viva e sempre ao seu dispor!

Jemima esticou o braço e tocou na estranha criatura.

– Sim, tens uma textura muito, muito **gosmenta** – observou ela.

– O **Slime** nasceu quando eu misturei todas aquelas coisas nojentas que tu colecionavas nos frascos – acrescentou Ned.

Jemima olhou para o chão.

– Então, descobriste o meu… plano?

– Sim, descobri – replicou Ned.

– Oh, não – disse ela.

– Oh, sim. Mas por causa disso fiz um amigo e tive uma aventura incrível.

– Bem, pelo menos isso. Acho eu. Onde foram? – quis saber a menina.

– Voámos por toda a ilha – replicou **Slime**. – Temos andado a corrigir coisas que tinham de ser corrigidas.

– Bem, eu gostava de corrigir uma coisa… – começou por dizer a menina. – Ned, desculpa.

Ned sorriu e abraçou a irmã.

– Vem connosco – disse Ned. – Vamos fazer um último voo!

– Eu? – perguntou Jemima.

– Sim! Tu! – confirmou o rapaz, pegando na mão da irmã.

– Uma última voltinha pela ilha, por favor, **Slime!**

– Com todo o gosto – replicou **Slime**, pegando nos irmãos e levantando voo. Desta vez transformou-se num enorme dragão gosmento. Ned e Jemima agarraram-se um ao outro montados nas costas do dragão, cujas asas batiam majestosamente.

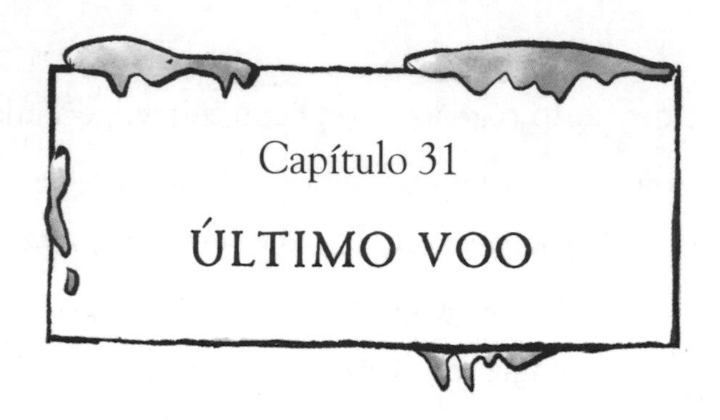

Capítulo 31

ÚLTIMO VOO

Ned e Jemima voaram juntos por toda a ILHA SEBENTA.

Voaram sobre a escola, onde as crianças saíam do edifício, a rir e a brincar. As crianças acenaram para o trio no céu.

– OBRIGADO, NED! – gritaram elas.

O rapaz esboçou um sorriso enorme e acenou de volta.

Depois, voaram sobre o parque.

Para surpresa de Ned, um grupo de miúdos jogava futebol na relva.

O rapaz explodiu de felicidade.

– OBRIGADO! – respondeu ele.

Depois voaram sobre a loja de brinquedos. Um grupo de crianças brincava com brinquedos novos.

– NED! ÉS O MAIOR! – gritaram eles.

Montado no dragão voador, o rapaz fez uma pequena vénia.

– Eu tenho um irmão mesmo fixe! – observou Jemima.

– Vai-te habituando! – disse Ned. – Ah! Ah! Ah! Ah!

Os irmãos riram-se ao voarem sobre a banca de peixe da mãe no mercado, acenando-lhe.

– **MÃE! OLHA! ESTAMOS AQUI EM CIMA!**

A pobre mulher desmaiou e aterrou num tabuleiro de peixe. Tal como tu provavelmente desmaiarias se visses os teus filhos nas costas de um dragão feito de **slime** (ou "**slimagão**"*).

Ned e Jemima planaram sobre o barco de pesca do pai, que acabava de atracar.

– PAI! OLHA!

O homem quase escorregou do barco e caiu ao mar.

– UPS! – disse Ned.

Havia outro barco a sair do porto. Era um barco-prisão.

---

* *Esta palavra não consta do **Walliamscionário**. Alguém diga ao pateta do Walliams que o dicionário dele não está completo. Oh, acabei de me lembrar, eu sou o David Walliams! Bolas!*

Todos os adultos horríveis – o Fúria, os Inveja, o Brioso, a Sorna e os Glutão – iam presos em gaiolas no convés. Abanavam as grades e gritavam para o céu.

– VAIS PAGAR POR ISTO! – gritaram.

– ATÉ SEMPRE, SEUS TOTÓS! – gritou o rapaz.

– AH! AH! – riu-se Jemima, e ela, Ned e **Slime** voaram alto nos céus.

Por fim, voaram em direção ao sol, que se punha sobre o dia mais extraordinário que a **ILHA SEBENTA** alguma vez vira.

ZUUM!

Jemima pôs os braços em torno do irmão, abraçando-o com força. O rapaz olhou por cima do ombro e sorriu. Não eram precisas palavras.*

O trio acabou por regressar à clareira na floresta, aterrando no sítio onde tinham deixado a cadeira de rodas de Ned.

Slime transformou-se de novo na sua forma bolhosa normal.

---

* *E não pensem que é porque sou demasiado preguiçoso para as escrever.*

– UAU! – exclamou Jemima, com o rosto a irradiar alegria.

– É, não é? – replicou Ned. – UAU!

– Então, agora o meu irmão é uma espécie de super-herói?

Ned riu-se.

– Ah! Ah! Suponho que sim! Mas sabes que mais? Não quero ser um super-herói. Só quero ser eu próprio.

Dito isto, o rapaz saiu de cima de **Slime** pela última vez e voltou a sentar-se na cadeira de rodas.

– Assim está melhor! – disse Ned. – Não é tão gosmento.

– Bem – começou por dizer **Slime** –, parece que o meu trabalho está feito. Resta-me deixar-vos com uma despedida carinhosa.

As duas crianças abraçaram a grande bolha gosmenta.

– Obrigado, **Slime**. Nunca nos esqueceremos de ti – disse Ned.

– Agora vou procurar outras
crianças que precisem de pregar
partidas marotas a adultos!

– Sorte a delas – disse Ned.

– Cuidem um do outro.

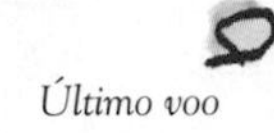

– Podes ficar descansado – replicaram os irmãos em uníssono.

Dito isto, **Slime** transformou-se em milhares de pequenas bolhas. As pequenas bolhas voaram pelo meio das árvores para o céu aberto. Pairaram por uns momentos, antes de zarparem pelo céu em todas as direções.

SUICH!

SUICH!

SUICH!

Em breve, **Slime** estaria nas mãos
de crianças de todo o mundo.
Crianças como tu.

EPÍLOGO

— Acho que estamos em casa à hora de jantar – disse Ned.

– Amanhã são os teus anos! – lembrou Jemima.

– Eu sei. Mas sem surpresas, por favor!

– Até parece! – riu-se a menina. – Vou preparar o teu banho!

Ned lançou um olhar à irmã.

– **Com água!** – continuou ela.

– Hmm. Já quase confio em ti!

Ned começou a virar as rodas da cadeira de rodas e Jemima agarrou as pegas atrás da cadeira.

– Eu levo-te – disse ela.

– Não preciso que me empurres. Na verdade, porque não te sentas?

– Tens a certeza?

– Sim! Esta coisa é fixe! Deixa-me mostrar-te o que eu e a minha cadeira de rodas sabemos fazer!

– Boa! – replicou a menina, colocando os pés na barra atrás da cadeira.

Ned começou a ganhar lanço.

ZUM!

Pouco depois, ziguezagueavam para fora da floresta e avançavam a alta velocidade pela estrada de campo.

Ned levantou as rodas da frente e fizeram um cavalinho!

– ALTAMENTE! – exclamou Jemima.

– Ainda não viste nada!

Depois, começou a rodopiar a cadeira de rodas.

E enquanto zarpavam monte
abaixo exclamaram:
– AQUI VAMOS
NÓÓÓSSSSS!

FIM